Mit Erfolg zu Fit in Deutsch 1

Übungs- und Testbuch

Ernst Klett Sprachen
Stuttgart

Autorinnen: Sylvia Janke-Papanikolaou, Karin Vavatzandis

unter der
Mitwirkung von: Anni Fischer-Mitziviris

Projektleitung: Evdokia Kallia

Redaktion: Annette Starosta

Layout/Satz: Theodoros Niarchos
Nikolaos Giannoutsos

Umschlag: Theodoros Niarchos

Druck: LCL Dystrybucja Sp. z o.o., Printed in Poland

Quellennachweis:

Fotos: DIGITAL VISION LTD, India House, 45 Curlew Street, London SE 1 ZND, www.digitalvision.ltd.uk • John Foxx Images, Amsterdam, www.johnfoxx.com • PhotoDisc, Inc. Seatle, Washington, www.photodisc.com • Stockbyte, Tralee, Ireland, www.stockbyte.com • brandXpictures, 8755 Washington Blvd., Culver Citz CA 90232, www.brandXpictures.com
Zeichnungen: Clip-Art, Nova development corporation, USA.

1. Auflage A1 8 7 | 2014

Alle Drucke dieser Auflage können im Unterricht nebeneinander benutzt werden, sie sind untereinander unverändert.
Die letzte Zahl bezeichnet das Jahr des Druckes.

Internetadressen: www.klett-edition-deutsch.de
www.klett.de

ISBN: 978-3-12-676330-1

VORWORT

Mit dem Übungs- und Testbuch ***Mit Erfolg zu Fit in Deutsch 1*** können sich Kinder und Jugendliche gezielt auf die Sprachprüfung des Goethe-Instituts „Fit in Deutsch 1" vorbereiten.

In sieben thematischen Übungs- und Testeinheiten trainieren die jugendlichen Lerner gezielt alle Aufgabentypen, die sie in der Prüfung erwarten: Lesen, Hören, Schreiben von E-Mails oder Karten und Sprechen.

Jede Einheit greift thematisch die Alltagswelt der Kinder und Jugendlichen auf, z.B. Familie und Freunde, Freizeit und Hobby oder Schule und Lernen, und entspricht genau den Anforderungen von „Fit in Deutsch 1".

Auf einer Einstiegsdoppelseite wird der Prüfungswortschatz zunächst spielerisch aktiviert und in bunt verzweigten Wörternetzen strukturiert. Vielfältige interaktive Übungen regen dazu an, sich mit dem Thema auseinander zu setzen.
Danach können die Lerner den aufgefrischten Wortschatz gezielt in den unterschiedlichen Fertigkeiten rezeptiv und produktiv anwenden.

Mit Erfolg zu Fit in Deutsch 1 ist interessantes Übungs- und Ergänzungsmaterial.

Sie können das Übungs- und Testbuch systematisch zur Prüfungsvorbereitung durcharbeiten oder gezielt bestimmte Fertigkeiten üben, wiederholen und vertiefen.

Viel Spaß und Erfolg bei der Arbeit mit ***Mit Erfolg zu Fit in Deutsch 1*** wünschen Ihnen

Autorinnen und Verlag

INHALT

Seite

Vorwort 3
Inhalt 4
Prüfungsbeschreibung Fit in Deutsch 1 6

1 Ich, du, wir
Meine Familie, meine Freunde und meine Haustiere 8
Hören 10
Lesen 14
Schreiben 18
Sprechen 19

2 Sport, Spiel und Spaß
Meine Freizeit und meine Hobbys 24
Hören 26
Lesen 30
Schreiben 34
Sprechen 35

3 Was ist in der Schule los?
Meine Schule und meine Klasse 40
Hören 42
Lesen 46
Schreiben 50
Sprechen 51

4 **SMS, PC, DVD**
Kommunikation und Unterhaltung 56
Hören 58
Lesen 62
Schreiben 66
Sprechen 67

5 **Ich kauf mir was!**
Essen und Trinken, Einkaufen 72
Hören 74
Lesen 78
Schreiben 82
Sprechen 83

6 **Stadt, Land, Fluss**
Unsere Wohnung, unsere Umwelt 88
Hören 90
Lesen 94
Schreiben 98
Sprechen 99

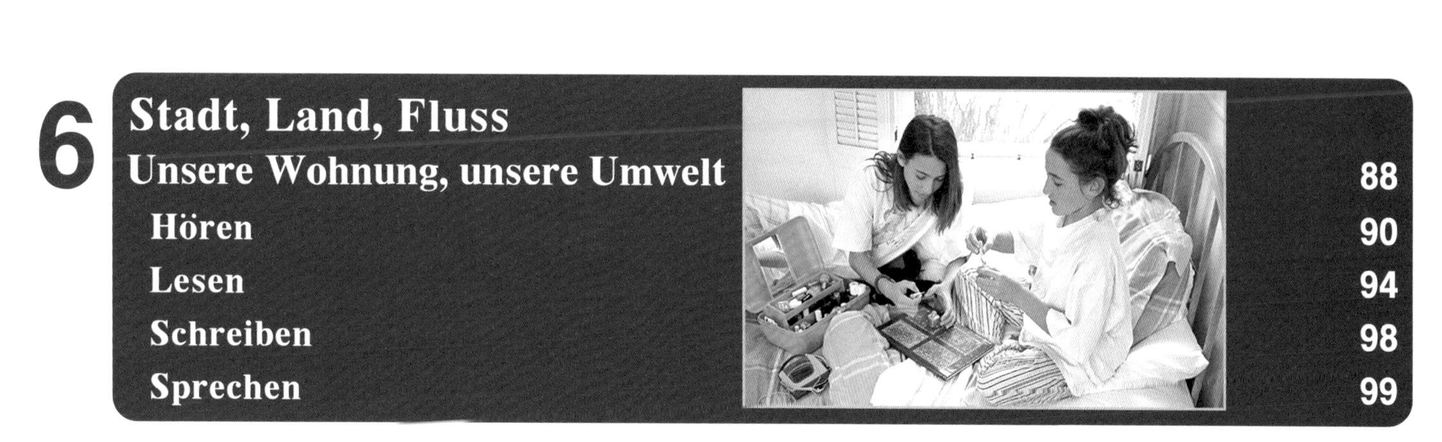

7 **Endlich Ferien**
Reisen und Ausflüge 104
Hören 106
Lesen 110
Schreiben 114
Sprechen 115

PRÜFUNGSBESCHREIBUNG FIT IN DEUTSCH 1

I. Prüfungsziele und - formen

Die Prüfung *Fit in Deutsch 1* wendet sich an jugendliche Deutschlernende und stellt Deutschkenntnisse auf der Niveaustufe A1 des allgemeinen europäischen Referenzrahmens fest.

Die Prüfung besteht aus vier Teilen:

Schriftliche Gruppenprüfung
1. Hören
2. Lesen
3. Schreiben

Mündliche Gruppenprüfung
4. Sprechen

1. HÖREN

Subtest	Prüfungsziel	Textsorte	Aufgabentyp	Punkte
1	selektives Hörverstehen	3 Nachrichten vom Anrufbeantworter	Multiple-Choice	6
2	detailliertes Hörverstehen	2 Kurzgespräche	Richtig-Falsch	6

Der Prüfungsteil Hören besteht aus zwei Subtests.

Subtest 1 besteht aus drei kurzen Nachrichten vom Anrufbeantworter mit einer Länge von jeweils ca. 20 Sekunden. Zu Subtest 1 sind insgesamt sechs bildunterstützte Aufgaben vom Typ Multiple-Choice zu lösen.

Subtest 2 besteht aus zwei kurzen Dialogen zwischen zwei Jugendlichen von jeweils ca. 30 Sekunden. Zu Subtest 2 sind sechs Richtig/Falsch-Aufgaben zu lösen.

Dauer: ca. 20 Minuten

2. LESEN

Subtest	Prüfungsziel	Textsorte	Aufgabentyp	Punkte
1	globales und selektives Verstehen	bildunterstützte Anzeigen	Multiple-Choice	6
2	detailliertes Verstehen	2 Aussagen von Jugendlichen	Richtig-Falsch	6

Der Prüfungsteil Lesen besteht aus zwei Subtests.

Subtest 1 enthält zwei kurze, bildunterstützte Anzeigen mit jeweils ca. 30 Wörtern. Zu Subtest 1 sind sechs Multiple-Choice-Aufgaben zu lösen.

Subtest 2 enthält zwei Kurztexte aus Jugendzeitschriften mit jeweils ca. 50 Wörtern. Zu Subtest 2 sind sechs Richtig/Falsch-Aufgaben zu lösen.

Dauer: 20 Minuten

3. SCHREIBEN

Die Prüfungsteilnehmer/Prüfungsteilnehmerinnen erhalten eine schriftliche Mitteilung, auf die sie mit einem kurzen Text von ca. 30 Wörtern (E-Mail oder Karte) reagieren sollen, dessen Anfang bereits vorstrukturiert ist.

Dauer: 20 Minuten

Der produzierte Text wird nach den Kriterien Inhalt/Umfang (max. 3 Punkte) und formale Richtigkeit (max. 3 Punkte) bewertet.

4. SPRECHEN

Dieser Prüfungsteil besteht aus drei Subtests.
In ***Subtest 1*** stellen sich die Prüfungsteilnehmer/Prüfungsteilnehmerinnen reihum mit mindestens vier Sätzen vor.
In ***Subtest 2*** ziehen die Prüfungsteilnehmer/Prüfungsteilnehmerinnen eine Handlungskarte und stellen ihrem Mitschüler/ihrer Mitschülerin dazu eine Frage. Der Mitschüler/Die Mitschülerin antwortet direkt.
In ***Subtest 3*** ziehen die Prüfungsteilnehmer/Prüfungsteilnehmerinnen eine Handlungskarte. Darauf ist ein Piktogramm abgebildet und daneben entweder ein Ausrufezeichen oder ein Fragezeichen.
Beim Ausrufezeichen sollen die Prüfungsteilnehmer/Prüfungsteilnehmerinnen eine Aufforderung oder Bitte an ihren Mitschüler/ihre Mitschülerin formulieren, beim Fragezeichen eine Frage. Der Mitschüler/Die Mitschülerin reagiert entsprechend.

Dauer für die ganze Gruppe: 15 Minuten

Die Leistung wird nach den Kriterien *Erfüllung der Aufgabe* (max. 2 Punkte pro Subtest) und Aussprache (max. 2 Punkte insgesamt) bewertet.

II. Maximale Punktzahl und Gewichtung

In den einzelnen Prüfungsteilen können maximal folgende Punkte erreicht werden:

	Punkte	Gesamt	Gewichtung
Hören	Teil 1 = 6 Punkte Teil 2 = 6 Punkte	12 x 1,5 = 18 Punkte	30 %
Lesen	Teil 1 = 6 Punkte Teil 2 = 6 Punkte	12 Punkte	20 %
Schreiben	6 Punkte	6 x 2 = 12 Punkte	20 %
Sprechen	18 Punkte	12 x 1,5 = 18 Punkte	30 %
Gesamtpunktzahl		60 Punkte	100 %
Bestanden		30 Punkte	50 %

III. Gesamtpunktzahl und Prädikat

60–50 Punkte	sehr gut
49–40 Punkte	gut
39–30 Punkte	bestanden
29–0 Punkte	nicht bestanden

Ich, du, wir

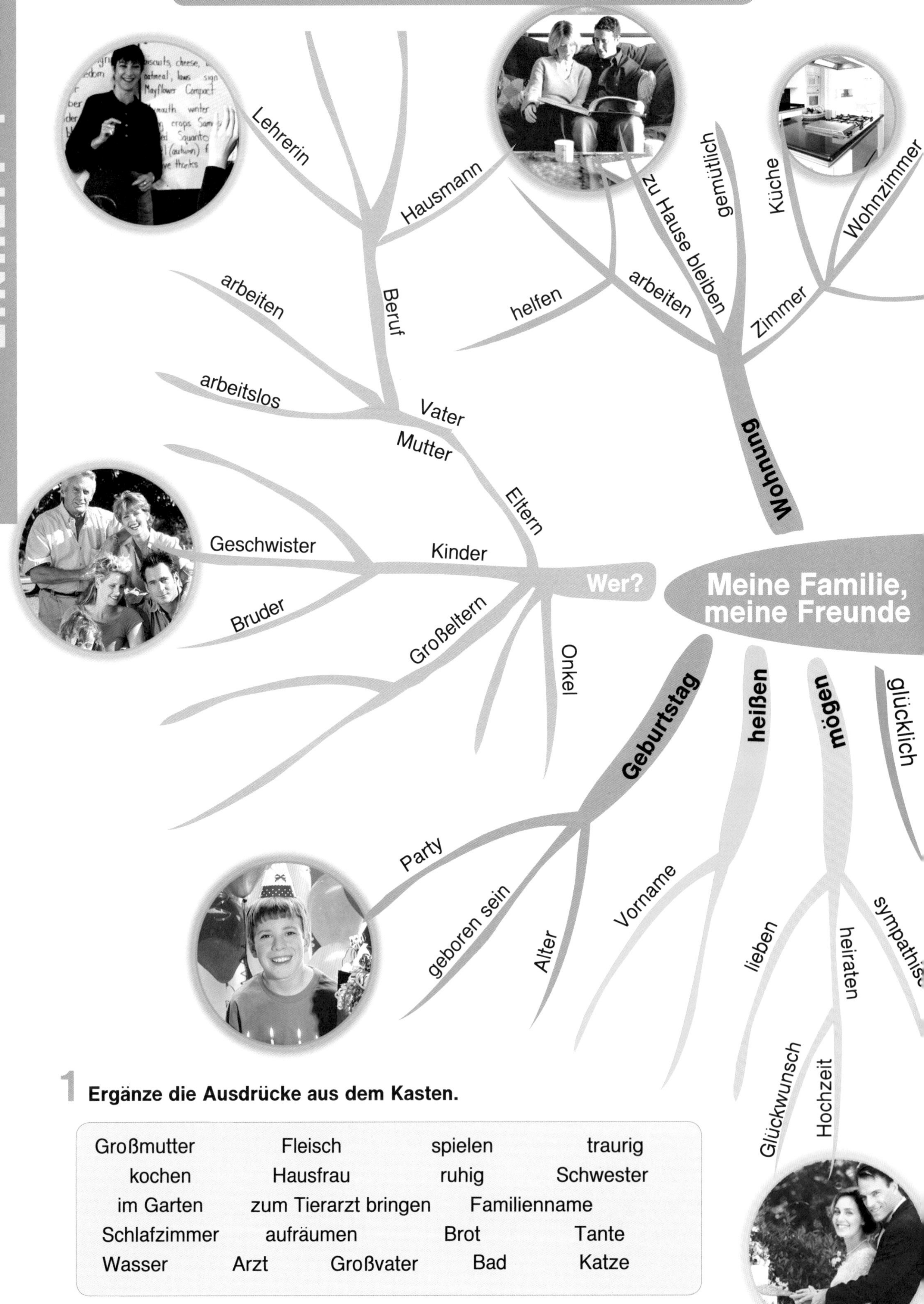

1 **Ergänze die Ausdrücke aus dem Kasten.**

Großmutter	Fleisch	spielen	traurig
kochen	Hausfrau	ruhig	Schwester
im Garten	zum Tierarzt bringen	Familienname	
Schlafzimmer	aufräumen	Brot	Tante
Wasser	Arzt	Großvater	Bad	Katze

Meine Familie, meine Freunde und meine Haustiere

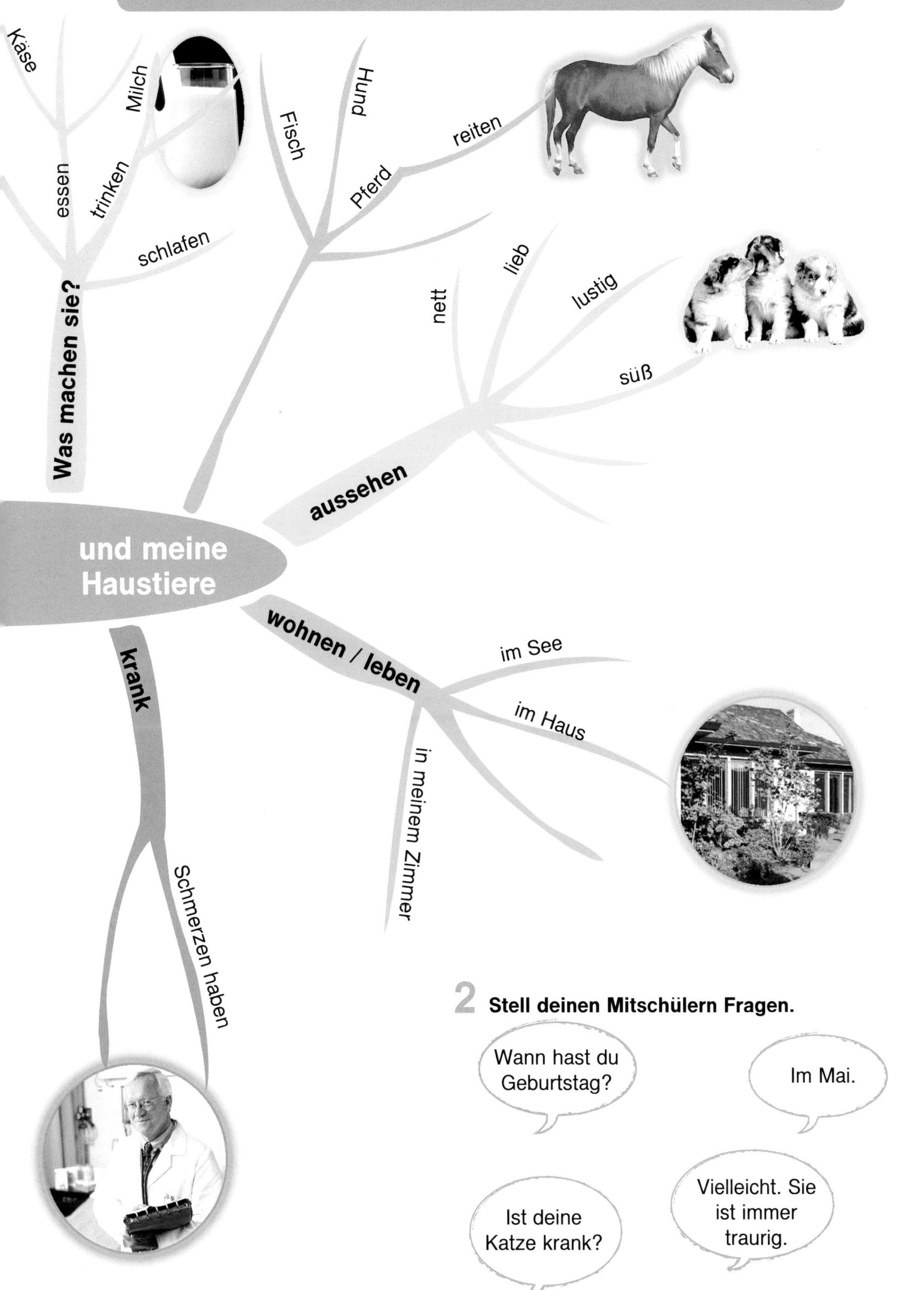

2 Stell deinen Mitschülern Fragen.

Wann hast du Geburtstag?

Im Mai.

Ist deine Katze krank?

Vielleicht. Sie ist immer traurig.

Hören

Teil 1

Du hörst drei Nachrichten am Telefon. Jede Nachricht hörst du zweimal. Zu jeder Nachricht gibt es Aufgaben. Markiere die richtigen Lösungen.

Lies jetzt das Beispiel mit der Lösung.

Beispiel:
Der Anruf ist für ... .

a 

☒ Tante Lisa

b 

☐ Katharina

c 

☐ Oma

Jetzt hörst du die erste Nachricht. Lies dazu die Aufgaben 1 und 2.

1 Wer hat Geburtstag?

a 

☐ Tante Lisa

b 

☐ Oma

c 

☐ Onkel Heiner

2 Sie treffen sich um ... .

a 

☐ 17 Uhr

b 

☐ 15 Uhr

c 

☐ 13 Uhr

Du hörst die erste Nachricht noch einmal. Markiere die Lösung zu Aufgabe 1 und 2.

Jetzt hörst du die zweite Nachricht.
Lies dazu die Aufgaben 3 und 4.

3 Die Party ist am … .

a

☐ Freitag

b
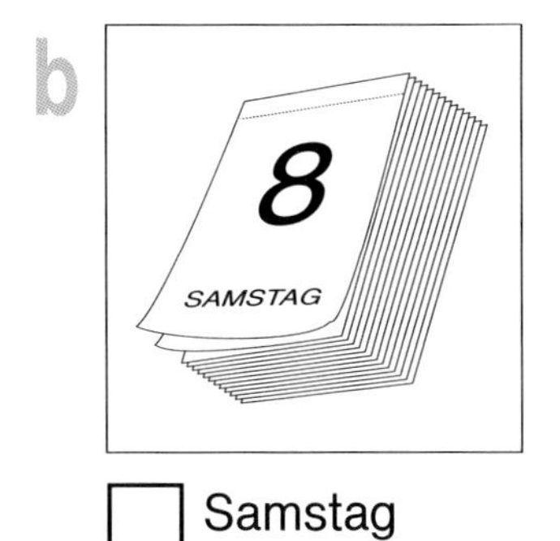

☐ Samstag

c
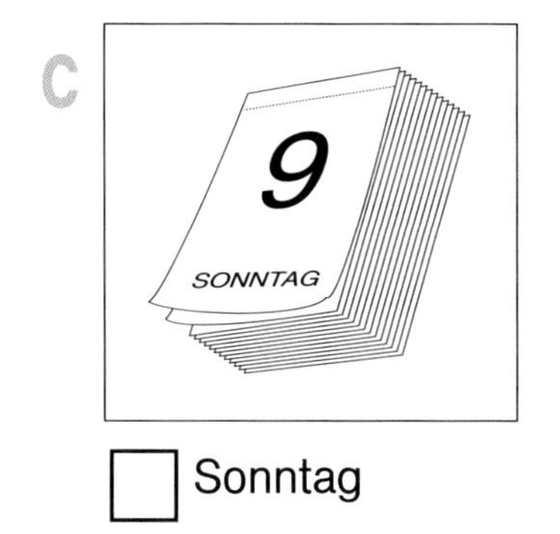

☐ Sonntag

4 Kati braucht ... .

a
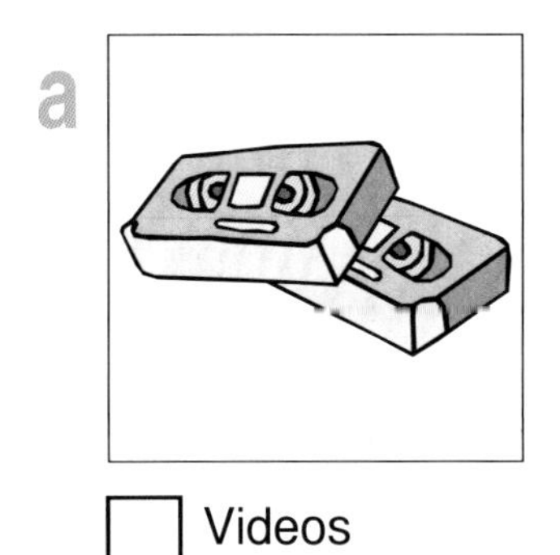

☐ Videos

b
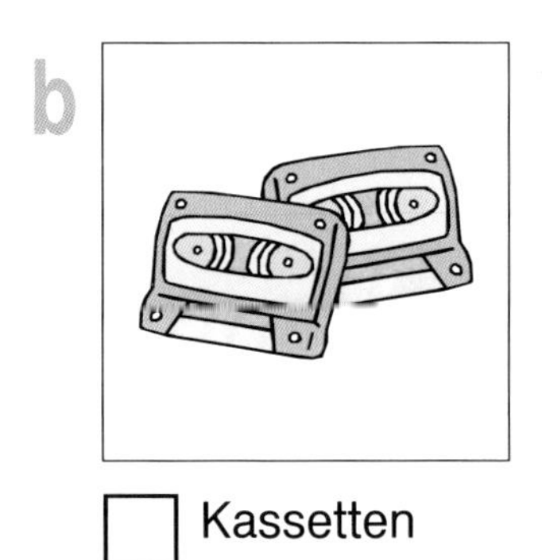

☐ Kassetten

c
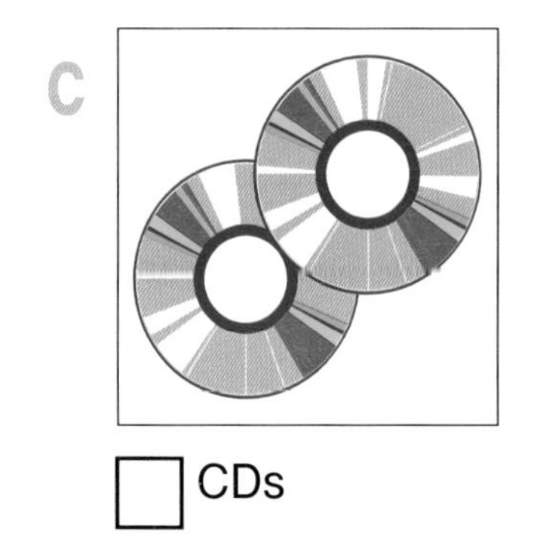

☐ CDs

Du horst die zweite Nachricht noch einmal.
Markiere die Lösung zu Aufgabe 3 und 4.

Hören

**Jetzt hörst du die dritte Nachricht.
Lies dazu die Aufgaben 5 und 6.**

5 Die Eltern fahren ohne… .

a 

☐ Tina

b 

☐ Christian

c 

☐ die Freunde

6 Die Eltern fahren um … los.

a 

☐ 8 Uhr

b 

☐ 8 Uhr 30

c 

☐ 9 Uhr

**Du hörst die dritte Nachricht noch einmal.
Markiere die Lösung zu Aufgabe 5 und 6.**

Teil 2

Du hörst jetzt zwei Gespräche. Du hörst jedes Gespräch zweimal. Zu jedem Gespräch gibt es Aufgaben. Markiere die richtige Lösung mit einem Kreuz: R für richtig, F für falsch.

Lies jetzt das Beispiel mit der Lösung.

Beispiel:

	R	F
Markus spricht mit einem Freund.	☒	☐

Lies jetzt die Sätze 7, 8 und 9.

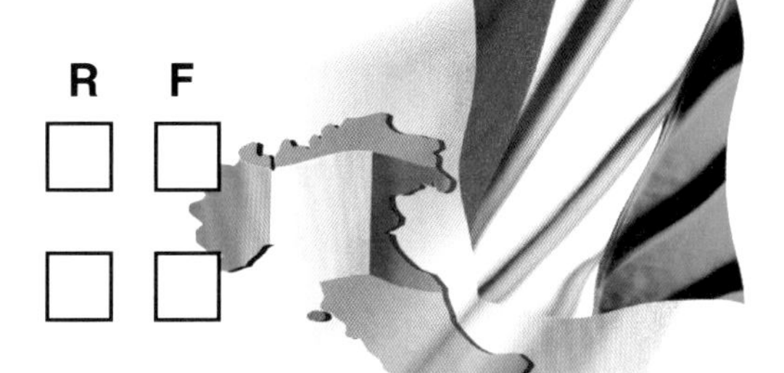

	R	F
7 Markus hat einen Onkel in Trentino.	☐	☐
8 Patricio und Markus sind gleich alt.	☐	☐
9 Markus fährt in den Sommerferien nach Italien.	☐	☐

Du hörst jetzt das erste Gespräch.

Du hörst jetzt das Gespräch noch einmal. Markiere jetzt für die Sätze 7, 8 und 9. Markiere R für richtig und F für falsch.

Lies jetzt die Sätze 10, 11 und 12.

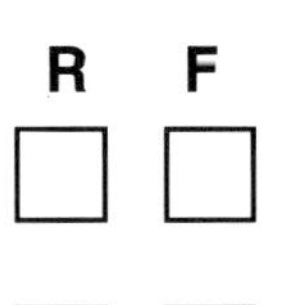

	R	F
10 Sven spricht mit Oma.	☐	☐
11 Sven hat schon Freunde in Köln.	☐	☐
12 Sven geht mit Basti zur Schule.	☐	☐

Du hörst jetzt das zweite Gespräch.

Du hörst jetzt das Gespräch noch einmal. Markiere jetzt für die Sätze 10, 11 und 12: richtig oder falsch.

Ende des Prüfungsteils „Hören“.

Lesen

Teil 1

Lies bitte die Anzeigen aus der Zeitung. Zu jedem Text gibt es drei Fragen.

Anzeige 1

Spielst du gern mit kleinen Kindern?

Wir suchen ein freundliches
Mädchen (13–16) für Patrick (5)
und Susanne (3).

Jeden Montag und Mittwoch für etwa
3 Stunden am Nachmittag

15 Euro für einen Nachmittag

Tel.: 4 33 87 96, Familie Schulz

Anzeige 2

Wer will Maxi haben?

Wir haben einen Hund, eine Katze,

Fische und einen Vogel.

Aber unsere Wohnung ist leider sehr

klein. Ich schenke dir meine Katze Maxi.

Sie ist süß und sehr lieb. Schreib mir.

simon@gmx.net

Fragen 1-6

Markiere bitte die richtige Antwort mit einem Kreuz.

Beispiel:

Die Anzeige ist für

[X] Mädchen

b kleine Kinder

c Mädchen und Jungen

Anzeige 1

1

Was muss man machen?

a Familie Schulz besuchen

b mit Patrick und Susanne spielen

c kleinen Kindern helfen

2

Wann?

a jeden Nachmittag

b 3 Stunden in der Woche

c zwei Nachmittage in der Woche

3

Man bekommt für die Stunde

a fünf Euro

b fünfzehn Euro

c fünfzig Euro

Anzeige 2

4

Das ist eine Anzeige für

a einen Hund

b einen Fisch

c eine Katze

5

Das Tier

a ist billig

b kostet nichts

c ist teuer

6

Was kann man machen?

a eine E-Mail schreiben

b Simon anrufen

c einen Brief schreiben

Teil 2

In einer Zeitschrift findest du zwei Texte über Jugendliche in Deutschland.

Beschreibung 1

Hallo, ich heiße Lore und bin jetzt 16. Im Juli hatte ich Geburtstag.

Mein Bruder ist erst 12. Wir wohnen in Hamburg. Meine Mutter arbeitet in einer Apotheke. Sie ist aber zu Hause, wenn ich aus der Schule komme. Nach der Schule essen wir zusammen.

Mein Vater arbeitet immer bis spät, aber am Wochenende hat er Zeit für uns.

Beschreibung 2

Ich bin Jürgen. Mein Vater, meine Schwestern Sandra und Daniela und ich leben in Berlin. Wir frühstücken jeden Morgen zusammen. Das ist gemütlich. Mein Vater liest danach seine Zeitung und Sandra und ich gehen zusammen zur Schule. Daniela arbeitet. Sie ist Sekretärin. Am Nachmittag kommen meine Freunde oft zu uns nach Hause.

Sätze 7-12

Was ist richtig und was ist falsch?
Markiere bitte R für richtig und F für falsch.

Beispiel:

	R	F
Lores Mutter ist immer zu Hause.	☐	☒

Beschreibung 1

Lore

		R	F
7	hat im Sommer Geburtstag.	☐	☐
8	hat einen großen Bruder.	☐	☐
9	isst mit ihren Eltern zusammen zu Mittag.	☐	☐

Beschreibung 2

Jürgen

		R	F
10	wohnt bei seinem Vater.	☐	☐
11	geht mit seinen beiden Schwestern zur Schule.	☐	☐
12	besucht am Nachmittag seine Freunde.	☐	☐

Ende des Prüfungsteils „Lesen“.

Schreiben

1 Lies die E-Mail von Nikos aus Athen.

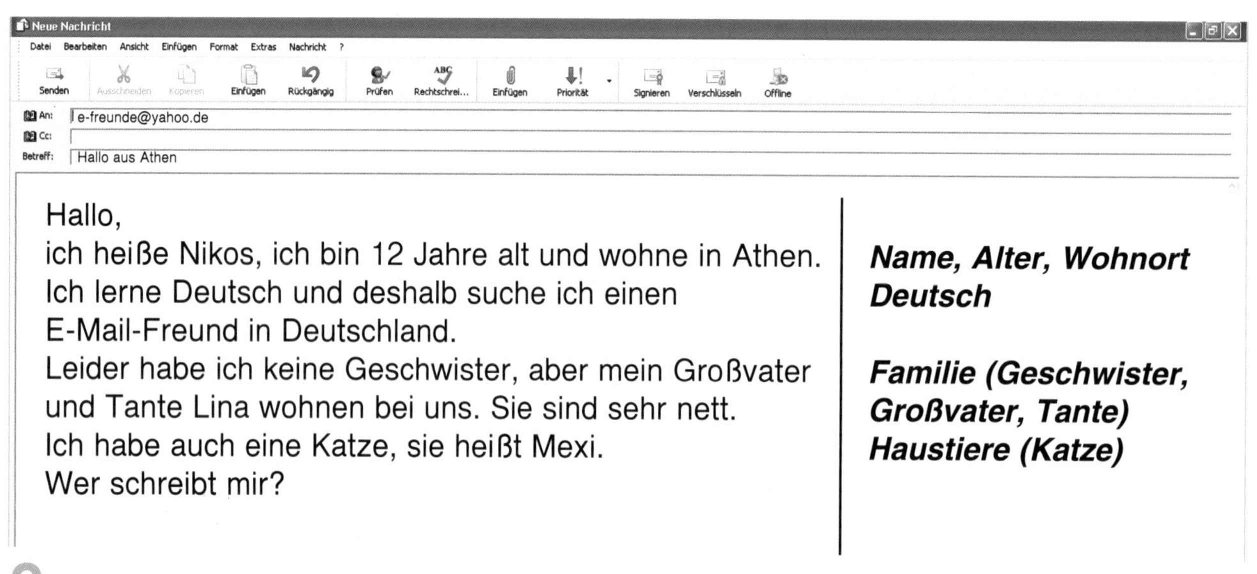

Neue Nachricht

Datei Bearbeiten Ansicht Einfügen Format Extras Nachricht ?

Senden Ausschneiden Kopieren Einfügen Rückgängig Prüfen Rechtschrei... Einfügen Priorität Signieren Verschlüsseln Offline

An: e-freunde@yahoo.de

Cc:

Betreff: Hallo aus Athen

Hallo,
ich heiße Nikos, ich bin 12 Jahre alt und wohne in Athen.
Ich lerne Deutsch und deshalb suche ich einen
E-Mail-Freund in Deutschland.
Leider habe ich keine Geschwister, aber mein Großvater
und Tante Lina wohnen bei uns. Sie sind sehr nett.
Ich habe auch eine Katze, sie heißt Mexi.
Wer schreibt mir?

Name, Alter, Wohnort
Deutsch

Familie (Geschwister, Großvater, Tante)
Haustiere (Katze)

2 Antworte bitte auf diese Nachricht.
Die Sätze unten helfen dir dabei. Bring sie in die richtige Reihenfolge.

Meine Eltern mögen keine Haustiere.

Ich habe einen Bruder.

Mein Name ist Dirk und ich bin 12 Jahre alt.

1 Hallo, Nikos! Deine Mail ist toll!

Antworte schnell!

Er ist 9 Jahre alt und er ist blöd!

Deshalb habe ich keine Katze.

Meine Familie und ich wohnen in Ulm.

Magst du auch Hunde?

3 Schreib jetzt bitte die E-Mail.

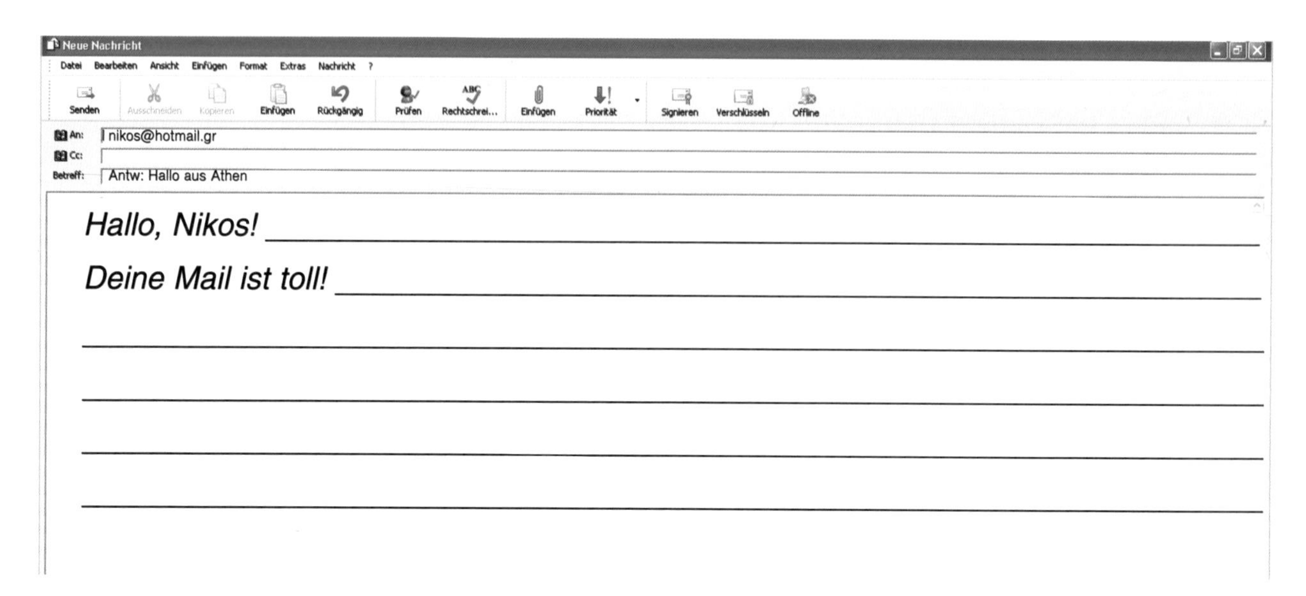

Neue Nachricht

Datei Bearbeiten Ansicht Einfügen Format Extras Nachricht ?

Senden Ausschneiden Kopieren Einfügen Rückgängig Prüfen Rechtschrei... Einfügen Priorität Signieren Verschlüsseln Offline

An: nikos@hotmail.gr

Cc:

Betreff: Antw: Hallo aus Athen

Hallo, Nikos! ______________________________

Deine Mail ist toll! ______________________________

____

____

____

____

Sprechen

Teil 1

Stell dich kurz vor (mindestens 4 Sätze).

Ich heiße ... / Mein Name ist ... .
Ich bin ... Jahre alt
und wohne in ... / komme aus ... .
Ich lerne Deutsch (und ... .)
Meine Hobbys sind ... .

Teil 2

1 Was passt zusammen? Ordne bitte passende Verben zu und bilde Sätze. (Es gibt jedes Mal nur eine richtige Lösung.)

Haustiere *mögen* ________

Geburtstag ____________

von Beruf Architekt ____________

eine Wohnung ____________

sein ~~mögen~~ **haben** **kaufen**

Beispiel: *Ich mag Haustiere.*

____

____

____

2 Ergänze passende Wörter und bilde Sätze.

anrufen: (wen?) meine Freundin, ____________
mögen: (was?) meine Stadt, ____________
(wen?) meine Eltern, ____________

Beispiel: *Ich mag meine Eltern.*

____

____

____

Sprechen

3 **Bilde W-Fragen und spielt die Dialoge in der Klasse.**

Beispiel: *Wann rufst du deine Freundin an?* — *Vielleicht morgen.*

Wann	Haustiere magst du	?	Architekt.
Was	rufst du deine Freundin an		Katzen und Hunde.
Welche	hast du Geburtstag		Vielleicht morgen.
	ist dein Vater von Beruf		Im Mai.

4 **Bilde JA-NEIN-Fragen und spielt die Dialoge in der Klasse.**

Beispiel: *Rufst du jetzt deine Eltern an?* — *Nein, am Abend.*

Hast du	von Beruf Architekt		Nein, ich bin Schüler.
Bist du	meine Stadt		Nein, nicht besonders.
Möchtest du	jetzt deine Eltern	?	Vielleicht.
Rufst du	Haustiere	an	Ja, sehr!
Magst du	heute Geburtstag		Nein, leider nicht.
	eine Wohnung kaufen		Nein, am Abend.

1

2

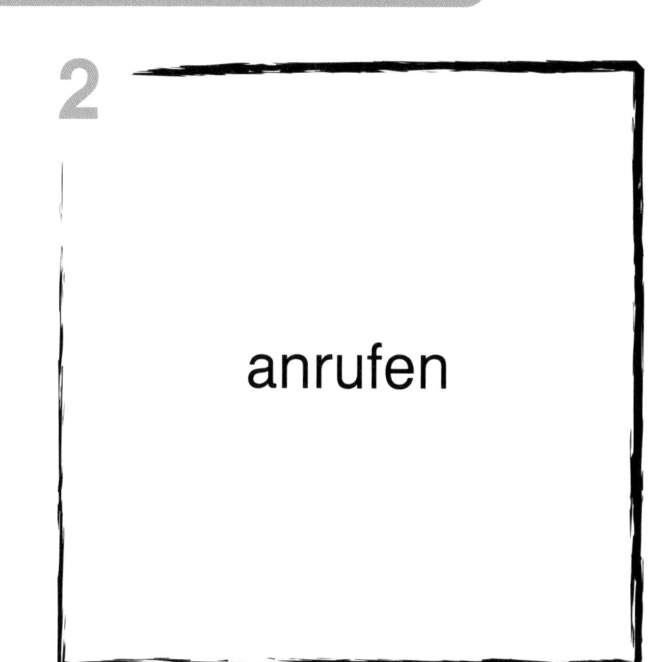

3

4

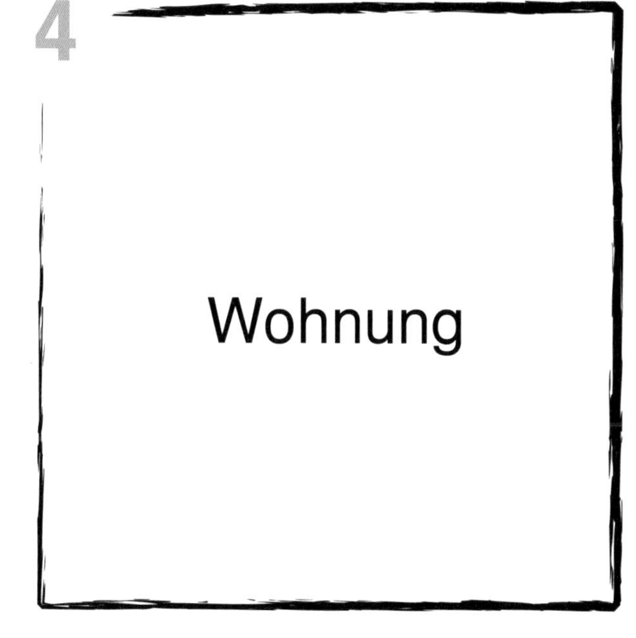

5

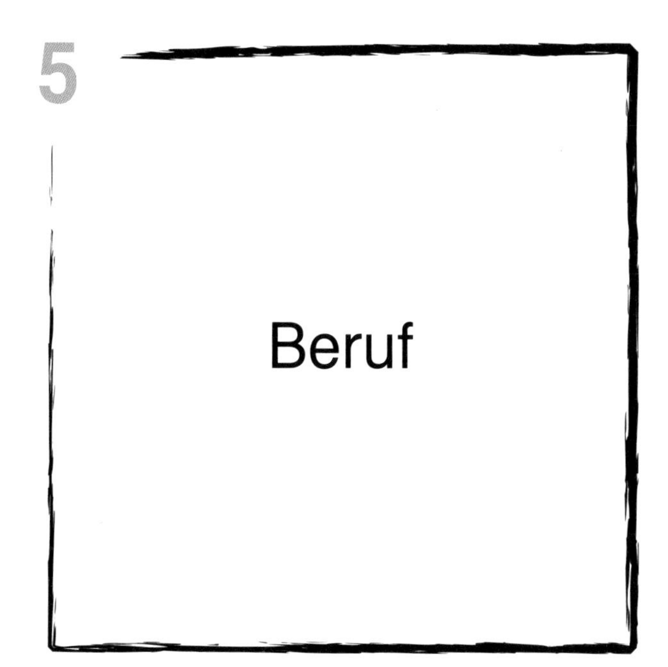

6

Sprechen

Teil 3

1 Was bedeuten die Piktogramme? Schreib bitte das Wort darunter.

a 
____

b 
____

c 
____

d 

____

e 
____

f 
____

2 Ordne passende Verben zu.
(Es gibt jedes Mal nur eine richtige Lösung.)

das Zimmer *aufräumen*
mit der Katze ______________
ein Geschenk ______________
im Supermarkt ______________
die Großeltern ______________
dem Vater ______________

besuchen · ~~aufräumen~~ · einkaufen · helfen · kaufen · spielen

3 Nimm eine Karte: ! oder ?
Wirf eine Münze: Kopf oder Zahl? Bei „Kopf" mach eine Aufforderung, bei „Zahl" mach eine Frage.

!!! Aufforderung

Räum ***bitte dein Zimmer auf!*** ***Ja, sofort!***

Räum	bitte dem Vater	auf	Heute kann ich nicht. Vielleicht morgen.
Spiel	im Supermarkt		Nein, ich habe jetzt keine Lust.
Kauf	heute die Großeltern	!	Ja, gleich.
Besuch	ein bisschen mit der Katze		Ja, klar!
Hilf	doch ein Geschenk		Ja, sofort!
Kauf	bitte dein Zimmer	ein	Ja, das kann ich machen.

Sprechen

??? Frage

Ergänze bitte die Wörter von den Piktogrammen.

Wann räumst du endlich dein ____________ auf?	Heute Abend.
Spielst du gern mit der ______________ ?	Ja, sehr gern.
Wo kaufst du ein?	Im _________________ .
Besuchst du oft deine ______________ ?	Ja, jedes Wochenende.
Wem hilfst du jetzt?	Meinem ______________ .
Kaufst du ein ______________ für Monika?	Ja, sicher.

1

2

3

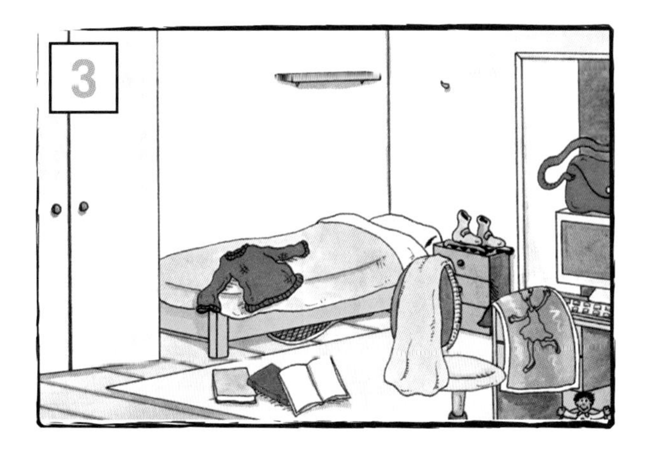

4

5

6

Sport, Spiel und Spaß

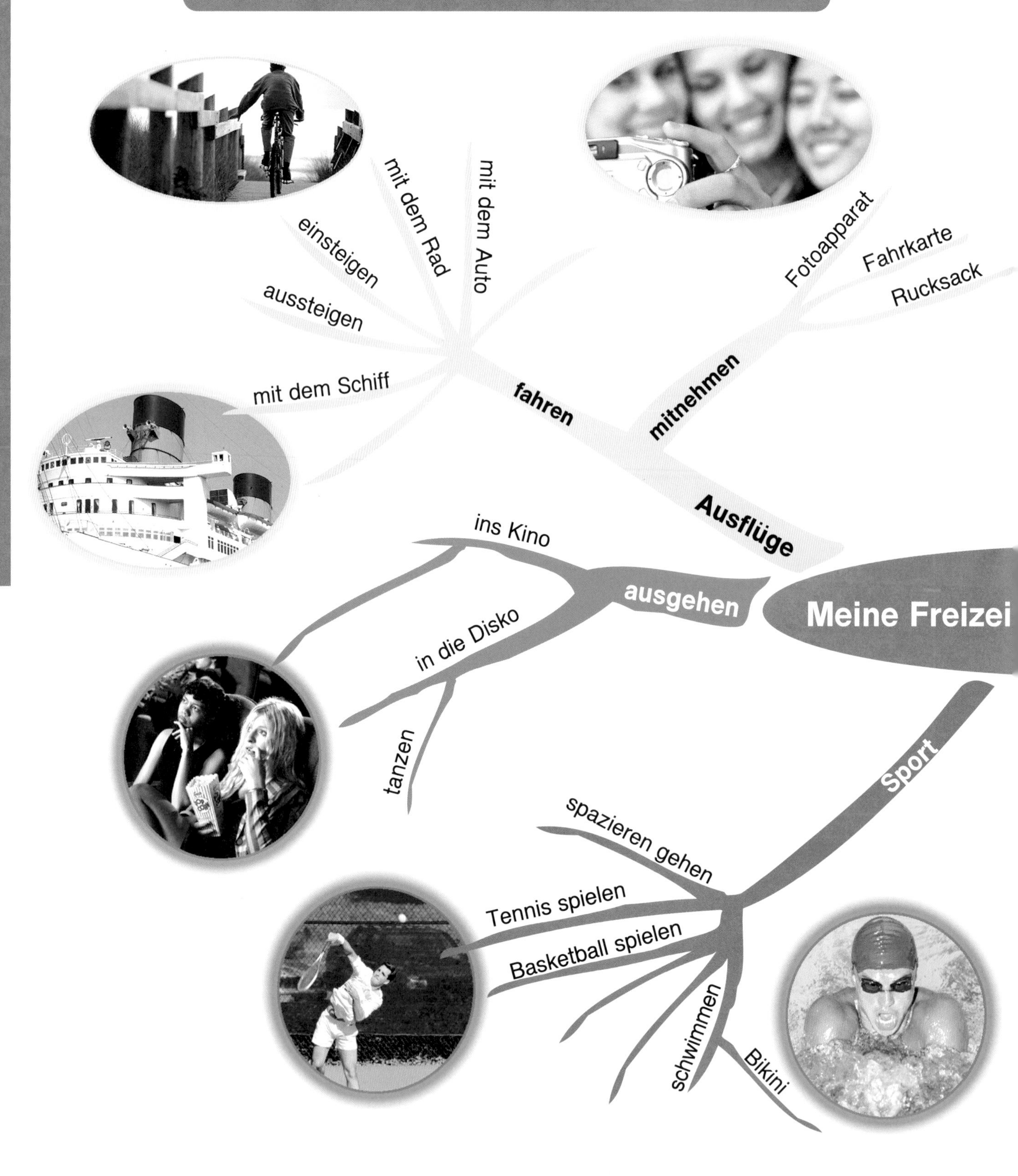

1 Ergänze die Ausdrücke aus dem Kasten.

etwas sammeln	mit dem Bus	schwer	einen Film sehen
fernsehen	in der Stadt	am See	mit dem Zug
jede Woche	Buch	reiten	am Wochenende
im Garten	Radio	wandern	

Meine Freizeit und meine Hobbys

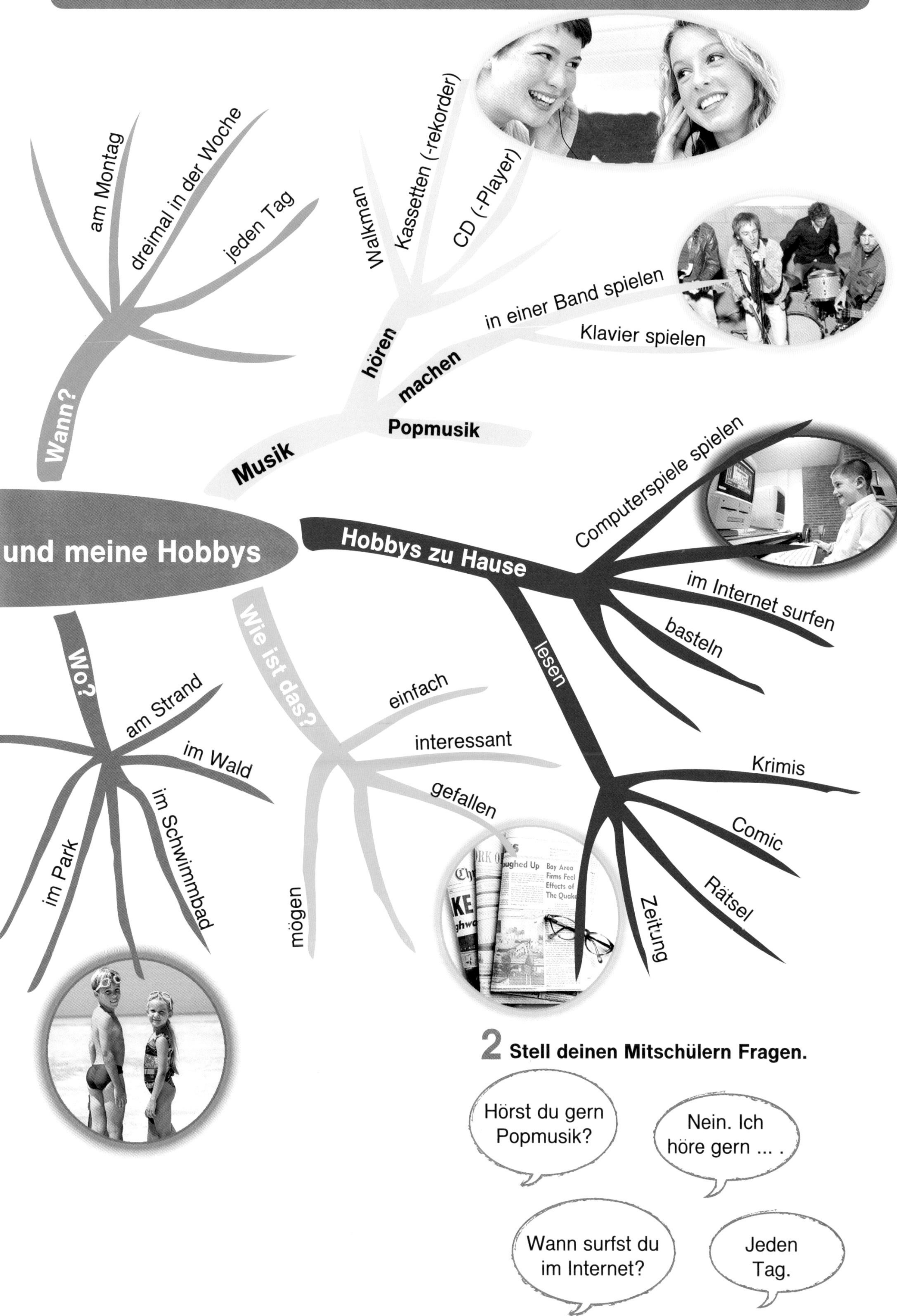

2 Stell deinen Mitschülern Fragen.

Hörst du gern Popmusik?

Nein. Ich höre gern ... .

Wann surfst du im Internet?

Jeden Tag.

Hören

Teil 1

Du hörst drei Nachrichten am Telefon. Jede Nachricht hörst du zweimal. Zu jeder Nachricht gibt es Aufgaben. Markiere die richtigen Lösungen.

Lies jetzt das Beispiel mit der Lösung.

Beispiel:
Für wen ist der Anruf?

a ☒ Moni b ☐ Lilli c ☐ Julia

Jetzt hörst du die erste Nachricht. Lies dazu die Aufgaben 1 und 2.

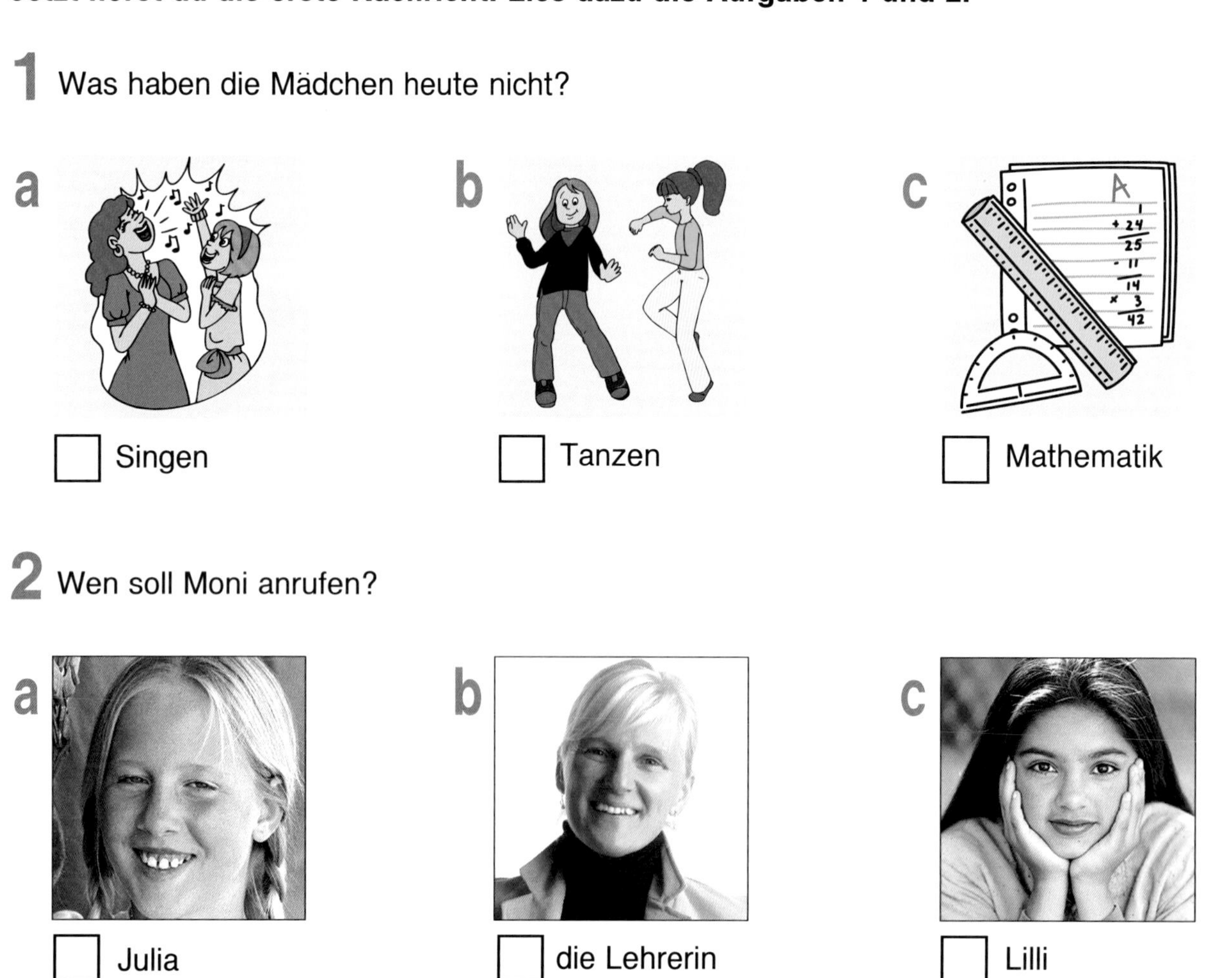

1 Was haben die Mädchen heute nicht?

a ☐ Singen b ☐ Tanzen c ☐ Mathematik

2 Wen soll Moni anrufen?

a ☐ Julia b ☐ die Lehrerin c ☐ Lilli

Du hörst die erste Nachricht noch einmal. Markiere die Lösung zu Aufgabe 1 und 2.

Jetzt hörst du die zweite Nachricht.
Lies dazu die Aufgaben 3 und 4.

3 Im Freizeitpark ist ein … .

a

☐ Schwimmbad

b

☐ Kino

c

☐ Supermarkt

4 Es kostet morgen nur … .

a

☐ 5 €

b

☐ 10 €

c

☐ 15 €

Du hörst die zweite Nachricht noch einmal.
Markiere die Lösung zu Aufgabe 3 und 4.

Hören

Jetzt hörst du die dritte Nachricht.
Lies dazu die Aufgaben 5 und 6.

5 Wie fahren die Freunde in die Stadt?

a

☐ mit dem Auto

b

☐ mit dem Bus

c

☐ mit dem Zug

6 Was machen die Freunde später vielleicht?

a

☐ anrufen

b

☐ Eis essen

c

☐ spazieren gehen

Du hörst die dritte Nachricht noch einmal.
Markiere die Lösung zu Aufgabe 5 und 6.

Teil 2

Du hörst jetzt zwei Gespräche. Du hörst jedes Gespräch zweimal. Zu jedem Gespräch gibt es Aufgaben. Markiere die richtige Lösung mit einem Kreuz: R für richtig, F für falsch.

Lies jetzt das Beispiel mit der Lösung.

Beispiel:

	R	F
Die Mädchen sprechen über die Schule.	☐	☒

Lies jetzt die Sätze 7, 8 und 9.

		R	F
7	Sonja lernt Gitarre spielen.	☐	☐
8	Eva lernt auch Gitarre.	☐	☐
9	Die Mädchen wollen zusammen Musik machen.	☐	☐

Du hörst jetzt das erste Gespräch.

Du hörst jetzt das Gespräch noch einmal. Markiere jetzt für die Sätze 7, 8 und 9. Markiere R für richtig und F für falsch.

Lies jetzt die Sätze 10, 11 und 12.

		R	F
10	Die Freunde spielen Fußball.	☐	☐
11	Sie spielen in der Schule Basketball.	☐	☐
12	Sie fahren zusammen mit dem Rad.	☐	☐

Du hörst jetzt das zweite Gespräch.

Du hörst jetzt das Gespräch noch einmal. Markiere jetzt für die Sätze 10, 11 und 12: richtig oder falsch.

Ende des Prüfungsteils „Hören".

Lesen

Teil 1

Lies bitte die Anzeigen aus der Zeitung. Zu jedem Text gibt es drei Fragen.

Anzeige 1

Jugendzentrum „JUZE" für alle von 6–18 Jahren

Montag-Freitag
14.00–21.00: Musik hören, Spiele, Internet-Cafe, Bibliothek

Samstag
Disko

Montag
14.30–17.30: Spielen für 6–10-Jährige

Dienstag
14.00–16.00: Hilfe bei den Hausaufgaben
16.00–18.00: Mädchentreff

Informationen (0 54 25) 16 69

Anzeige 2

Hallo, Fußballfreunde!

Was macht ihr in eurer Freizeit?

Wollt ihr mitspielen?

Wir suchen Jugendliche zwischen 10 und 14.

Wir treffen uns jeden Samstag um 16.00 Uhr im Park beim Schwimmbad.

Ruft mich an: 6 24 94 85, Peter

Montag und Freitag von 16.00–20.00 Uhr

Lesen

Fragen 1-6

Markiere bitte die richtige Antwort mit einem Kreuz.

Beispiel:

Das „JUZE“ ist offen

- [a] nur am Vormittag
- [X] am Nachmittag und am Abend
- [c] nur am Nachmittag

Anzeige 1

1

Das „JUZE“ ist

- [a] nur für Kinder
- [b] für Kinder und Jugendliche
- [c] nur für Mädchen

2

Was kann man machen?

- [a] Bücher kaufen
- [b] spielen und lesen
- [c] Musik machen

3

Das „JUZE“ ist geschlossen

- [a] am Sonntag
- [b] am Mittwoch und am Donnerstag
- [c] am Mittwoch

Anzeige 2

4

Das ist eine Anzeige für

- [a] Freizeit
- [b] Unterricht
- [c] Spiele

5

Was kann man machen?

- [a] schwimmen
- [b] Spiele spielen
- [c] Fußball spielen

6

Wann?

- [a] Montag und Freitag
- [b] Samstagnachmittag
- [c] jeden Nachmittag

Teil 2

In einer Zeitschrift findest du zwei Texte über Jugendliche in Deutschland.

Beschreibung 1

Ich bin Stefan und wohne mit meinen Eltern in Dresden.

Ich habe keine Geschwister.
Ich bin immer mit meinem Freund Mark zusammen.

Er ist 14. Wir spielen oft Computerspiele und hören Musik. Im Sommer gehe ich am Wochenende mit meinem Vater ins Schwimmbad. Das macht Spaß.

Manchmal kommt Mark mit. Im Winter spiele ich aber lieber Fußball.

Beschreibung 2

Mein Name ist Denise. Meine Freundin heißt Iris.

Wir gehen jeden Nachmittag spazieren oder in Geschäfte. Am Wochenende gehen wir immer ins Kino oder in die Disko. Iris spielt auch Tennis, aber ich mag keinen Sport. Ich sammle alte Fotos. Auf vielen Fotos sind meine Großeltern mit meinen Eltern. Meine Eltern sind da noch Babys oder kleine Kinder.

Sätze 7-12

Was ist richtig und was ist falsch?
Markiere bitte R für richtig und F für falsch.

Beispiel:

Stefan kauft oft Computerspiele.	R	F
	☐	☒

Beschreibung 1

Stefan

		R	F
7	ist vierzehn Jahre alt.	☐	☐
8	geht gern ins Schwimmbad.	☐	☐
9	spielt jedes Wochenende Fußball.	☐	☐

Beschreibung 2

Denise

		R	F
10	ist jeden Tag mit Iris zusammen.	☐	☐
11	spielt mit Iris Tennis.	☐	☐
12	macht gern Fotos von ihren Eltern.	☐	☐

Ende des Prüfungsteils „Lesen".

Schreiben

1 Lies die E-Mail von Julietta aus Italien.

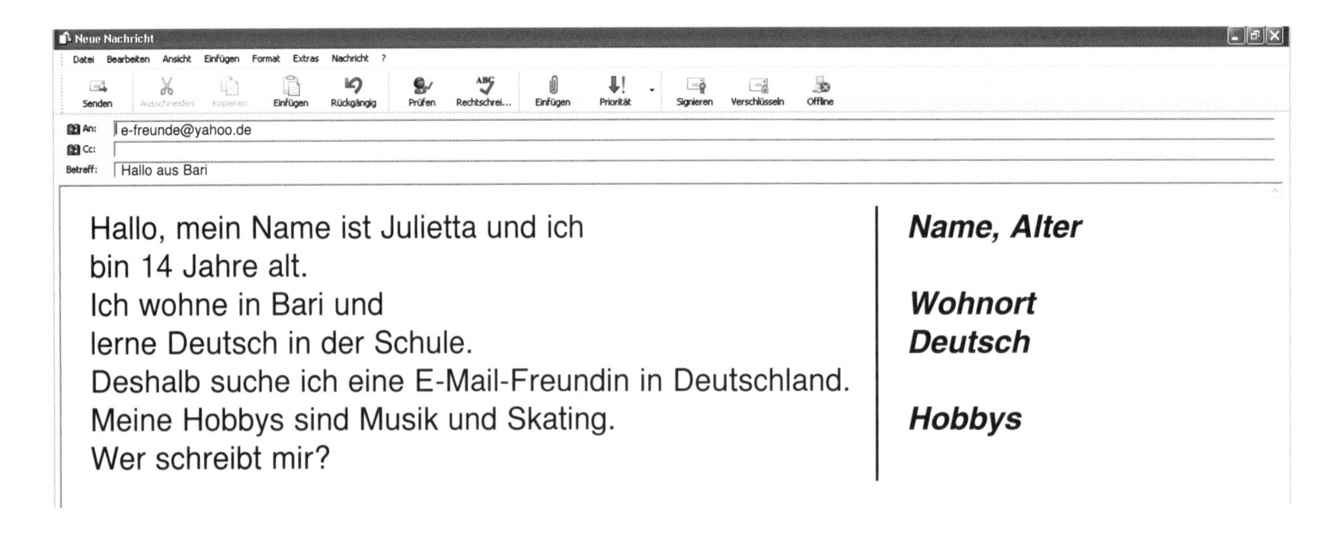

2 Antworte bitte auf diese Nachricht.
Die Sätze unten helfen dir dabei. Streiche die doppelten Sätze weg (4 Sätze!).

Hallo, ich heiße Anja und bin 13 Jahre alt.

Deine E-Mail ist toll.

Hallo, mein Name ist Anja.

Mein Lieblingssport ist Basketball.

Meine Adresse ist: Stuttgart, Langestraße.

In der Schule lerne ich Englisch und Französisch.

Ich spiele auch Volleyball und Tennis.

Deine E-Mail gefällt mir.

Ich wohne in Stuttgart, in der Langestraße.

In meiner Freizeit spiele ich gern Basketball.

3 Schreib jetzt bitte die E-Mail.

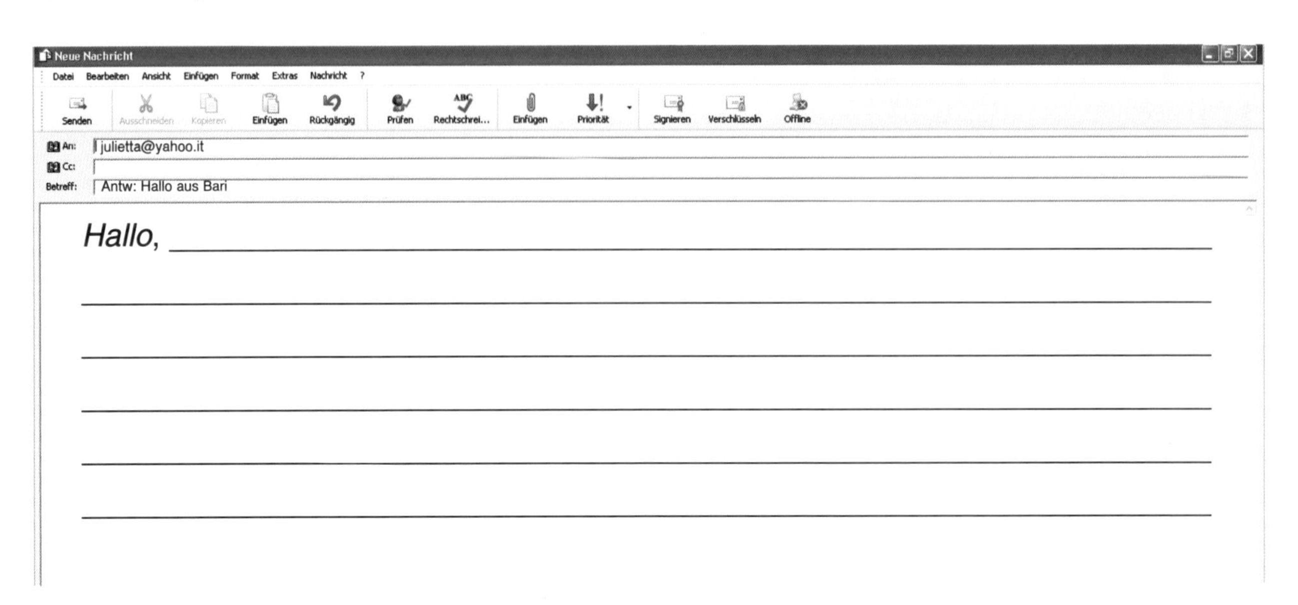

Sprechen

Teil 1

Stell dich kurz vor (mindestens 4 Sätze).

Ich heiße ... / Mein Name ist ... .
Ich bin ... Jahre alt
und wohne in ... / komme aus ... .
Ich lerne Deutsch (und ... .)
Meine Hobbys sind ... .

Teil 2

1 Was passt zusammen? Ordne bitte passende Verben zu und bilde Sätze. (Es gibt jedes Mal nur eine richtige Lösung.)

ins Kino *gehen*

Krimis ______________

Fahrrad ______________

Musik ______________

fahren lesen hören ~~gehen~~

Beispiel: *Ich gehe heute ins Kino.*

____

____

____

2 Ergänze passende Wörter und bilde Sätze.

treffen: (wen?) Freunde, ______________
gewinnen: (was?) etwas, eine Reise, ______________

Beispiel: *In dem Quiz kann man eine Reise gewinnen.*

____

____

____

Sprechen

3 **Bilde W-Fragen und spielt die Dialoge in der Klasse.**

Beispiel:

	gehst du ins Kino?	Am Wochenende.
Was	triffst du in der Stadt?	Eine Reise.
Wo	fährst du Rad?	Bettina und Thomas.
Wann	kann man gewinnen?	Im Bett.
Welche Freunde	hörst du Musik?	Heute Abend.
	liest du gern Krimis?	Morgen.

4 **Bilde JA-NEIN-Fragen und spielt die Dialoge in der Klasse.**

Beispiel:

Hörst du	oft Rad		Ja, sehr gern.
Fährst du	gern Musik		Nein, nicht besonders oft.
Liest du	heute deine Freunde	?	Ja, sehr oft.
Triffst du	oft ins Kino		Ja, die gefallen mir.
Gehst du	gern Krimis		Vielleicht, ich weiß noch nicht.

Sprechen

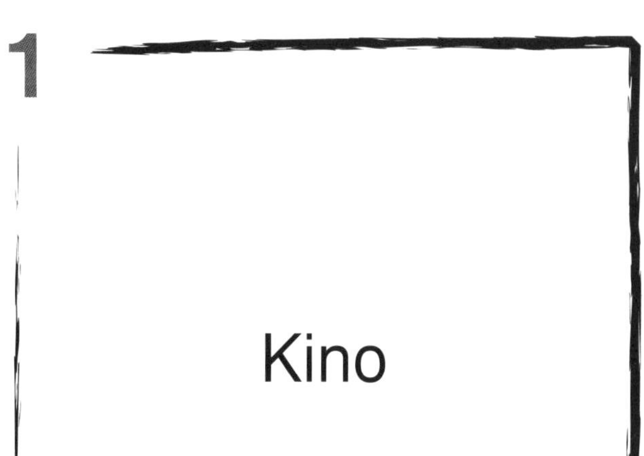

1

Kino

2

Krimi

3

Fahrrad

4

Musik

5

treffen

6

gewinnen

Sprechen

Teil 3

1 Was bedeuten die Piktogramme? Schreib bitte das Wort darunter.

a 

____

b 

____

c 

____

d 

____

e 

____

f 

____

**2 Ordne passende Verben zu.
(Es gibt jedes Mal nur eine Lösung.)**

Kassetten *mitbringen*
in die Disko ____________
den Comic ____________
das Computerspiel ____________
eine Fahrkarte ____________
mir den Walkman ____________

lesen · ~~**mitbringen**~~ · **geben** · **spielen** · **kaufen** · **gehen**

**3 Nimm eine Karte: ! oder ?
Wirf eine Münze: Kopf oder Zahl? Bei „Kopf" mach eine Aufforderung, bei „Zahl" mach eine Frage.**

!!! Aufforderung

Bring	*heute Abend bitte die Kassetten*	*mit!*	*Ja, in Ordnung.*
Bring	bitte gleich eine Fahrkarte	mit	Ich möchte aber gehen!
Gib	heute nicht in die Disko		Ich habe kein Geld!
Geh	mir sofort den Walkman	!	Ja, in Ordnung.
Kauf	den Comic		Ja, gern.
Lies	doch das neue Computerspiel		Nein, ich will nicht!
Spiel	heute Abend bitte die Kassetten		Das finde ich langweilig.

Sprechen

??? Frage

Ergänze bitte die Wörter von den Piktogrammen.

Bringst du heute Abend die ______________ mit?

Wo kann man ________________ kaufen?

Gibst du mir bitte den ________________ ?

Wann kaufst du die ________________ ?

Gehst du oft in die ________________ ?

Welche ________________ liest du?

Ja, klar!

Das weiß ich leider nicht.

Nein, das möchte ich nicht!

Ich glaube morgen.

Ja, jeden Samstag.

Ich mag keine __________ .

Was ist in der Schule los?

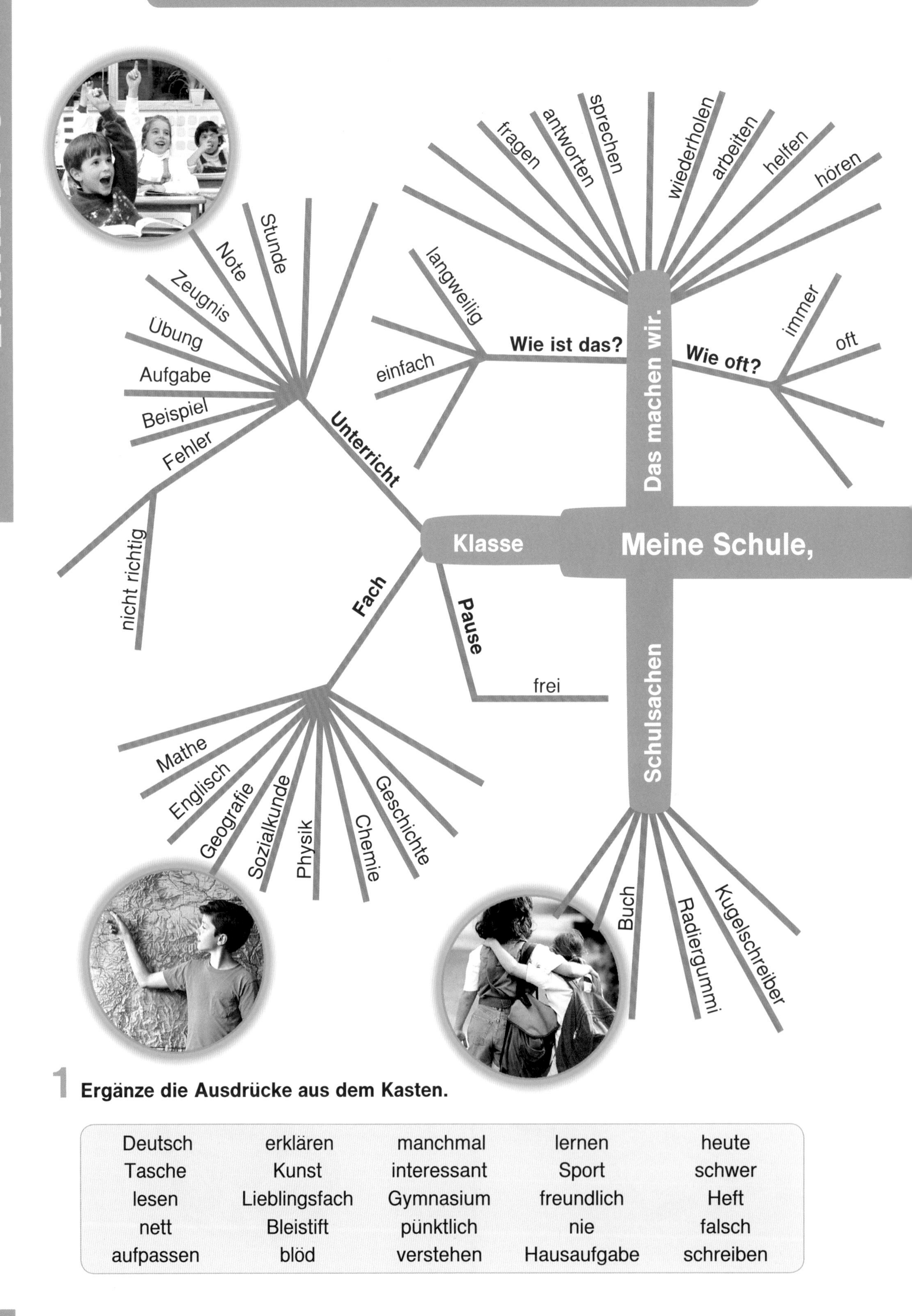

1 Ergänze die Ausdrücke aus dem Kasten.

Deutsch	erklären	manchmal	lernen	heute
Tasche	Kunst	interessant	Sport	schwer
lesen	Lieblingsfach	Gymnasium	freundlich	Heft
nett	Bleistift	pünktlich	nie	falsch
aufpassen	blöd	verstehen	Hausaufgabe	schreiben

Meine Schule und meine Klasse

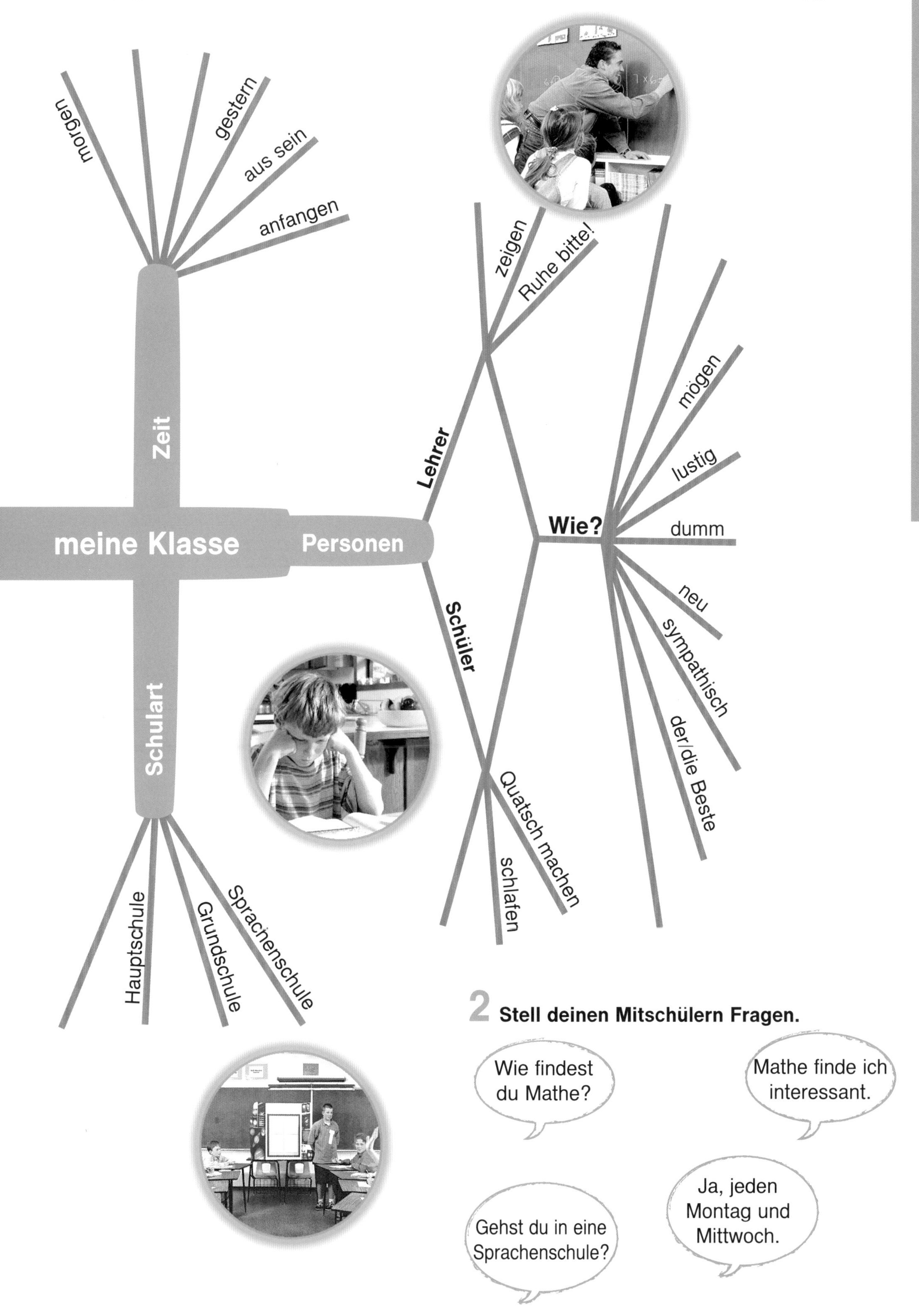

2 Stell deinen Mitschülern Fragen.

Wie findest du Mathe?

Mathe finde ich interessant.

Gehst du in eine Sprachenschule?

Ja, jeden Montag und Mittwoch.

Teil 1

Du hörst drei Nachrichten am Telefon. Jede Nachricht hörst du zweimal. Zu jeder Nachricht gibt es Aufgaben. Markiere die richtigen Lösungen.

Lies jetzt das Beispiel mit der Lösung.

Beispiel:
Für wen ist der Anruf?

a 

[X] Frau Sämann

b 

[ ] Frau Möggel

c 

[ ] Lydia

Jetzt hörst du die erste Nachricht. Lies dazu die Aufgaben 1 und 2.

1 Wer ist krank?

a 

[ ] Klavierlehrerin

b 

[ ] Frau Möggel

c 

[ ] Lydia

2 Was kann Lydia heute nicht?

a 

[ ] Theater spielen

b 

[ ] Klavier spielen

c 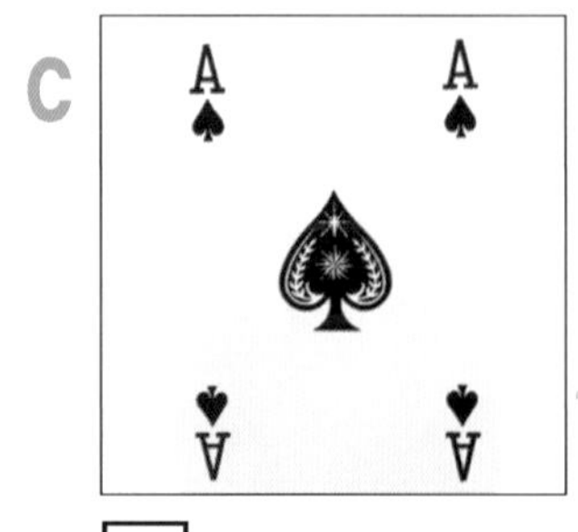

[ ] Karten spielen

Du hörst die erste Nachricht noch einmal. Markiere die Lösung zu Aufgabe 1 und 2.

Hören

Jetzt hörst du die zweite Nachricht.
Lies dazu die Aufgaben 3 und 4.

3 Julian fragt nach den Hausaufgaben in... .

a

☐ Deutsch

b

☐ Englisch

c

☐ Mathe

4 Bis wann kann Tobias anrufen?

a

☐ bis 21 Uhr 30

b

☐ bis 22 Uhr

c

☐ bis 22 Uhr 30

Du hörst die zweite Nachricht noch einmal.
Markiere die Losung zu Aufgabe 3 und 4.

Hören

Jetzt hörst du die dritte Nachricht.
Lies dazu die Aufgaben 5 und 6.

5 Nora und Tom arbeiten zusammen für … .

a

☐ Geschichte

b

☐ Geografie

c
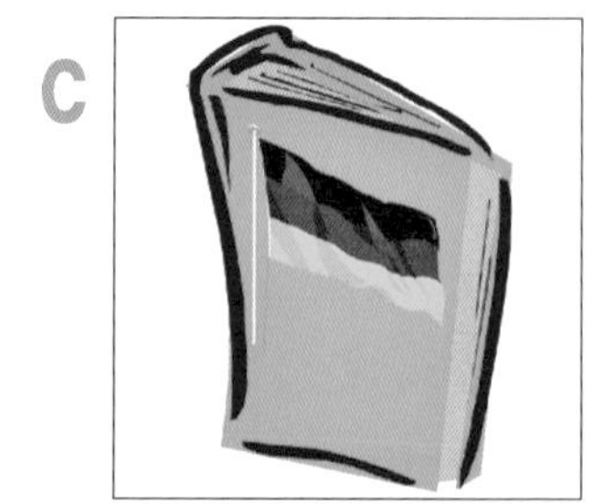
☐ Deutsch

6 Wann hat Nora Zeit?

a
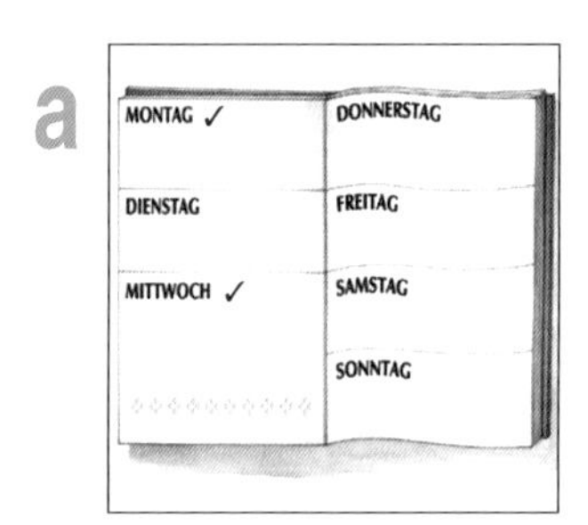

☐ Montag / Mittwoch

b
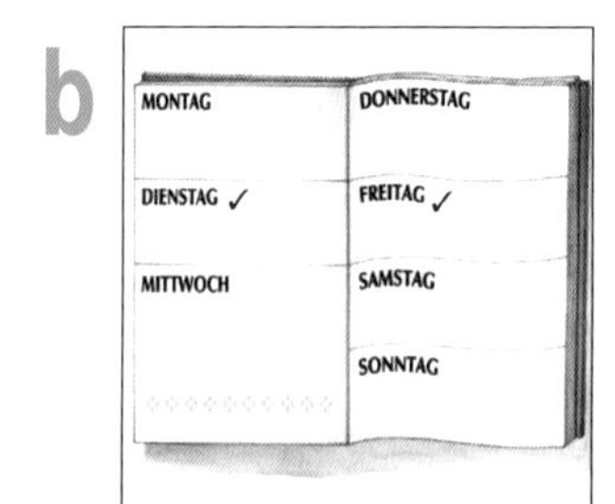

☐ Dienstag / Freitag

c
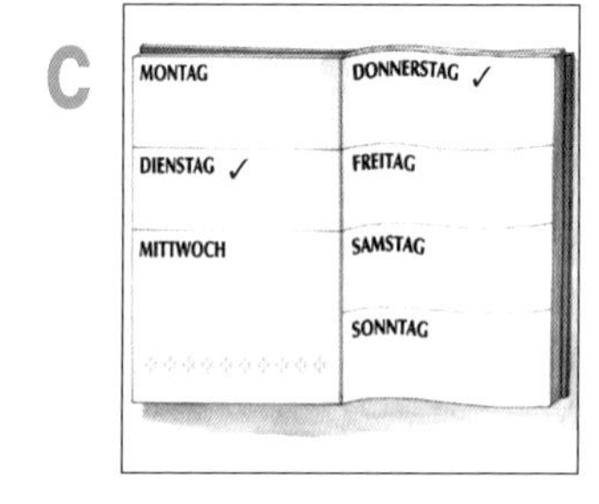

☐ Dienstag / Donnerstag

Du hörst die dritte Nachricht noch einmal.
Markiere die Lösung zu Aufgabe 5 und 6.

Hören

Teil 2

Du hörst jetzt zwei Gespräche. Du hörst jedes Gespräch zweimal. Zu jedem Gespräch gibt es Aufgaben. Markiere die richtige Lösung mit einem Kreuz: R für richtig, F für falsch.

Lies jetzt das Beispiel mit der Lösung.

Beispiel:

	R	F
Die Mädchen haben Deutschunterricht.	☐	☒

Lies jetzt die Sätze 7, 8 und 9.

7 Die Mädchen sprechen über den Mathelehrer.

8 Der Englischlehrer sieht gut aus.

9 Der Biolehrer kann gut erklären.

Du hörst jetzt das erste Gespräch.

Du hörst jetzt das Gespräch noch einmal. Markiere jetzt für die Sätze 7, 8 und 9. Markiere R für richtig und F für falsch.

Lies jetzt die Sätze 10, 11 und 12.

10 Peter will mit Hannes Mathe lernen.

11 Hannes muss ein Buch kaufen.

12 Peter kommt mit in die Stadt.

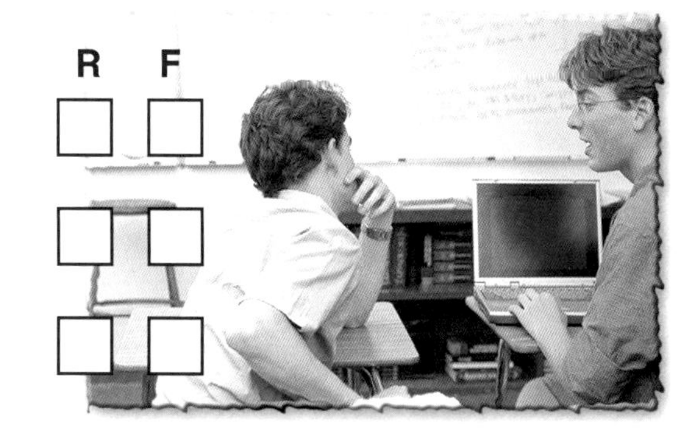

Du hörst jetzt das zweite Gespräch.

Du hörst jetzt das Gespräch noch einmal. Markiere jetzt für die Sätze 10, 11 und 12: richtig oder falsch.

Ende des Prüfungsteils „Hören“.

Lesen

Teil 1

Lies bitte die Anzeigen aus der Zeitung. Zu jedem Text gibt es drei Fragen.

Anzeige 1

Schlechte Noten? Kein Problem!
Wir helfen!

Montag–Freitag 17–19 Uhr,
Samstag und Sonntag 14–16 Uhr

Alle Klassen Grundschule
Ruft an.
Wir kommen zu euch nach Hause.

Heike und Rolf, 11. Klasse, Gymnasium
Tel.: 4 33 60 93

Anzeige 2

„Spectrum" – alles für die Schule!
Taschen, Rucksäcke, Bücher, Hefte,
Kugelschreiber, Bleistifte, Radiergummis
und noch viel mehr.
Jetzt auch Bücher für Sprachkurse
(Englisch, Französisch, Italienisch)
und für Computerunterricht.
Montag-Freitag 10.00-20.00,
Samstag 10.00-16.00
Blücherstraße 16, nicht weit
vom Goethe-Gymnasium

Fragen 1-6

Markiere bitte die richtige Antwort mit einem Kreuz.

Beispiel:

Das ist eine Anzeige für

- [x] Unterricht
- b Freizeit
- c Schule

Anzeige 1

1
Für wen?

- a alle Schüler
- b Schüler in der Grundschule
- c Schüler im Gymnasium

2
Wo?

- a in der Klasse
- b bei Rolf und Ferdinand
- c bei den Schülern zu Hause

3
Wann?

- a jeden Tag
- b nur am Wochenende
- c Montag und Freitag

Anzeige 2

4
Das ist eine Anzeige für

- a eine Sprachenschule
- b ein Gymnasium
- c ein Geschäft

5
Was kann man machen?

- a Schulsachen kaufen
- b Englisch und Italienisch lernen
- c einen Computerkurs besuchen

6
Wann?

- a Montag, Freitag und Samstag
- b Montag bis Samstag
- c jeden Tag

Lesen

Teil 2

In einer Zeitschrift findest du zwei Texte über Jugendliche in Deutschland.

Beschreibung 1

Hallo, ich heiße Katharina. Ich gehe in die 10. Klasse vom Gymnasium. Wir haben viele Unterrichtsfächer. In jedem Fach haben wir einen anderen Lehrer. Mein Lieblingsfach ist Deutsch. Geschichte mache ich nicht gern. Da schlafe ich oft. Die Lehrerin ist sympathisch, aber der Unterricht bei ihr ist nicht interessant und die Klassenarbeiten sind immer sehr schwer.

Beschreibung 2

Ich bin Sebastian. Ich gehe gerne in die Schule und meine Zeugnisse sind immer gut. Ich helfe oft meinen Freunden und erkläre ihnen die Aufgaben. Aber ich mache nicht immer meine Hausaufgaben. Ich habe einfach keine Lust. Morgens stehe ich um halb sieben auf. Meine Schule ist weit und ich muss 35 Minuten mit dem Bus fahren.

Sätze 7-12

Was ist richtig und was ist falsch?
Markiere bitte R für richtig und F für falsch.

Beispiel:

	R	F
Katharina hat viele Lehrer.	☒	☐

Beschreibung 1

Katharina

		R	F
7	möchte andere Lehrer.	☐	☐
8	geht nicht gern in die Schule.	☐	☐
9	findet Geschichte langweilig.	☐	☐

Beschreibung 2

Sebastian

		R	F
10	hat gute Noten im Zeugnis.	☐	☐
11	vergisst immer die Hausaufgaben.	☐	☐
12	kommt oft zu spät in die Schule.	☐	☐

Ende des Prüfungsteils „Lesen“.

Schreiben

1 Lies die E-Mail von Katrin aus Amsterdam.

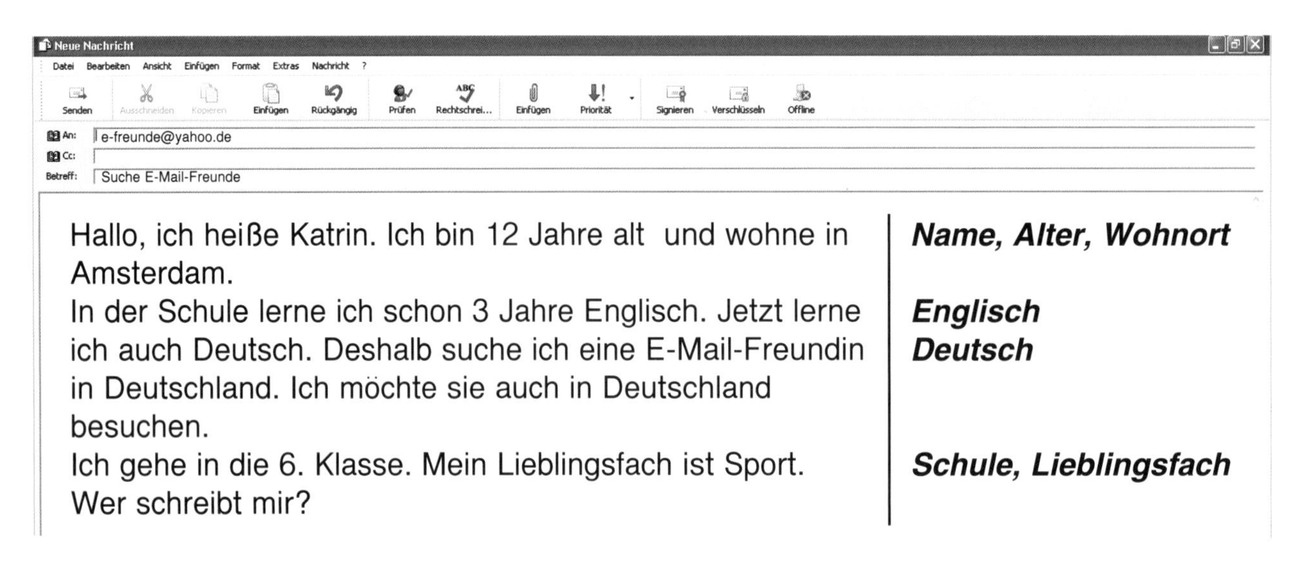

Neue Nachricht

Datei Bearbeiten Ansicht Einfügen Format Extras Nachricht ?

Senden Ausschneiden Kopieren Einfügen Rückgängig Prüfen Rechtschrei... Einfügen Priorität Signieren Verschlüsseln Offline

An: e-freunde@yahoo.de

Cc:

Betreff: Suche E-Mail-Freunde

Hallo, ich heiße Katrin. Ich bin 12 Jahre alt und wohne in Amsterdam.	***Name, Alter, Wohnort***
In der Schule lerne ich schon 3 Jahre Englisch. Jetzt lerne ich auch Deutsch. Deshalb suche ich eine E-Mail-Freundin in Deutschland. Ich möchte sie auch in Deutschland besuchen.	***Englisch*** ***Deutsch***
Ich gehe in die 6. Klasse. Mein Lieblingsfach ist Sport. Wer schreibt mir?	***Schule, Lieblingsfach***

2 Antworte bitte auf diese Nachricht.
Die Ausdrücke unten helfen dir dabei. Ergänze die Sätze.

Sandra heißen — auch 12 Jahre alt sein — in Marburg wohnen

Spanisch und Englisch lernen und — deshalb eine Freundin aus dem Ausland suchen

auch in die 6. Klasse gehen — Lieblingsfächer Mathematik und Spanisch sein

bitte schnell schreiben — gern eine Reise ins Ausland machen mögen

Neue Nachricht

Datei Bearbeiten Ansicht Einfügen Format Extras Nachricht ?

Senden Ausschneiden Kopieren Einfügen Rückgängig Prüfen Rechtschrei... Einfügen Priorität Signieren Verschlüsseln Offline

An:

Cc:

Betreff:

______________________ und ______________ auch 12 Jahre alt.
______________ in Marburg. In der Schule ______________ Spanisch und
Englisch und im Sommer ______________ gern eine Reise ins Ausland
__________ . ____________________ eine Freundin aus dem Ausland.
____________________ auch in die 6. Klasse. Meine Lieblingsfächer
______________________________ . Bitte ________________ !

3 Schreib jetzt bitte die E-Mail.

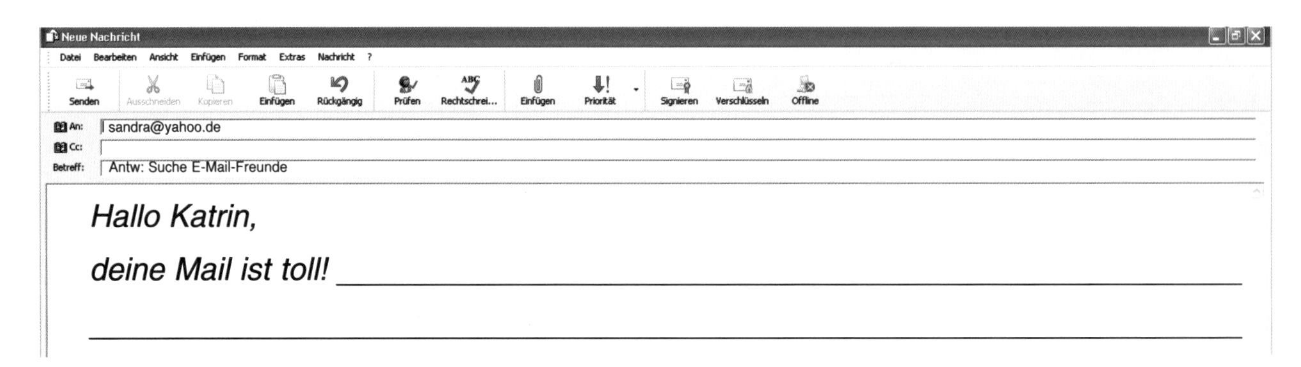

Neue Nachricht

Datei Bearbeiten Ansicht Einfügen Format Extras Nachricht ?

Senden Ausschneiden Kopieren Einfügen Rückgängig Prüfen Rechtschrei... Einfügen Priorität Signieren Verschlüsseln Offline

An: sandra@yahoo.de

Cc:

Betreff: Antw: Suche E-Mail-Freunde

Hallo Katrin,

deine Mail ist toll! ______________________________________

____

Sprechen

Teil 1

Stell dich kurz vor (mindestens 4 Sätze).

Ich heiße ... / Mein Name ist ... .
Ich bin ... Jahre alt
und wohne in ... / komme aus ... .
Ich lerne Deutsch (und ... .)
Meine Hobbys sind ... .

Teil 2

1 Was passt zusammen? Ordne bitte passende Ausdrücke zu und bilde Sätze. (Es gibt jedes Mal nur eine richtige Lösung.)

in die Bibliothek *gehen*

________ wiederholen

das Gymnasium ________

Deutsch ________

eine Klassenarbeit ________

________ mitbringen

~~gehen~~ | besuchen | das Englischbuch | schreiben | die Wörter | lernen

Beispiel: *Heute gehe ich in die Bibliothek.*

____

____

____

____

____

____

____

____

Sprechen

2 Bilde W-Fragen und spielt die Dialoge in der Klasse.

Beispiel:

Wann	gehst du	die Grammatik		Vielleicht heute Nachmittag.
	schreibst du	in die Bibliothek	?	Ich glaube, morgen.
	bringst du	das Englischbuch	mit	Am Dienstag.
	wiederholst du	die Klassenarbeit		Vielleicht morgen.

3 Bilde JA-NEIN-Fragen und spielt die Dialoge in der Klasse.

Beispiel:

Wiederholst du	das Gymnasium		Ich weiß nicht.
Besuchst du	morgen das Englischbuch		Ja, Deutsch und Englisch.
Lernst du	manchmal die Grammatik	?	Nein. Ich lerne zu Hause.
Schreibst du	manchmal in die Bibliothek		Ja, schon zwei Jahre.
Bringst du	Deutsch	mit	Nicht so oft.
Gehst du	heute eine Klassenarbeit		Ja, sicher!

Sprechen

1

Bibliothek

2

wiederholen

3

Gymnasium

4

mitbringen

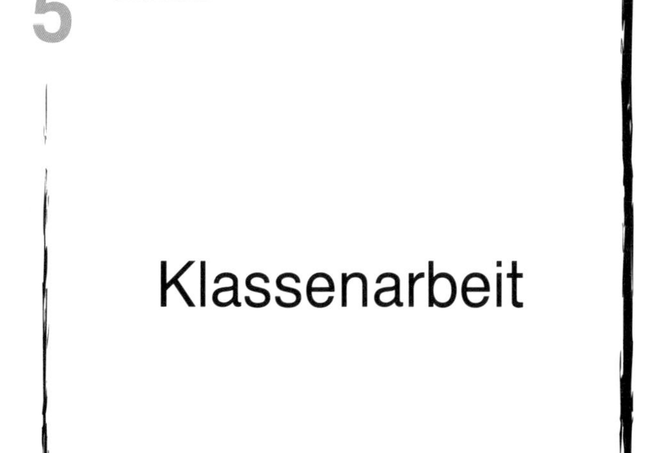

5

Klassenarbeit

6

Deutsch

Sprechen

Teil 3

1 Was bedeuten die Piktogramme? Schreib bitte das Wort darunter.

a 

____

b 

____

c 

____

d 

____

e 

____

f 

____

2 Ordne passende Verben zu.
(Es gibt jedes Mal nur eine richtige Lösung.)

einen Deutschkurs *besuchen*
mit dem Bleistift _______________
die Aufgabe _______________
in die Sprachenschule _______________
mit dem Computer _______________
eine E-Mail _______________

besuchen (durchgestrichen) · **arbeiten** · **gehen** · **schicken** · **machen** · **schreiben**

3 Nimm eine Karte: ! oder ?
Wirf eine Münze: Kopf oder Zahl? Bei „Kopf" mach eine Aufforderung, bei „Zahl" mach eine Frage.

!!!

Besuch *doch einen Deutschkurs!* *Ich habe leider keine Zeit.*

Besuch	doch mehr mit dem Computer		Ja, gleich!
Schreib	doch in die Sprachenschule		Ja, das kann ich machen.
Mach	mir bitte eine E-Mail	!	Ja, vielleicht.
Geh	jetzt bitte die Aufgabe		Das ist eine gute Idee.
Arbeite	doch einen Deutschkurs		In Ordnung.
Schick	bitte mit dem Bleistift		Ich habe leider keine Zeit.

Sprechen

???

Ergänze bitte Wörter von den Piktogrammen.

Besuchst du einen ________________ ?	Ja, am Montag und Mittwoch.
Welche ________________ ist schwer?	Keine. Alle ____________ sind leicht.
Schreibst du lieber mit dem Kuli oder mit dem ________________ ?	Lieber mit dem ________________ .
Wo ist die ________________ ?	In der Stadt. Neben dem Stadtpark.
Schickst du oft ________________ ?	Ja. Sehr oft.
Wo ist dein ________________ ?	Er ist in meinem Zimmer.

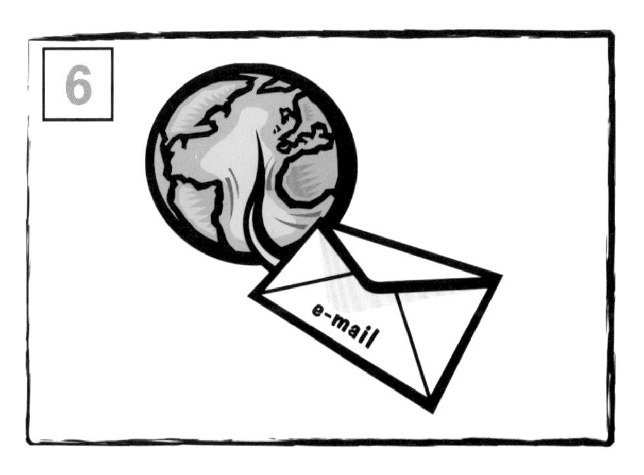

SMS, PC, DVD

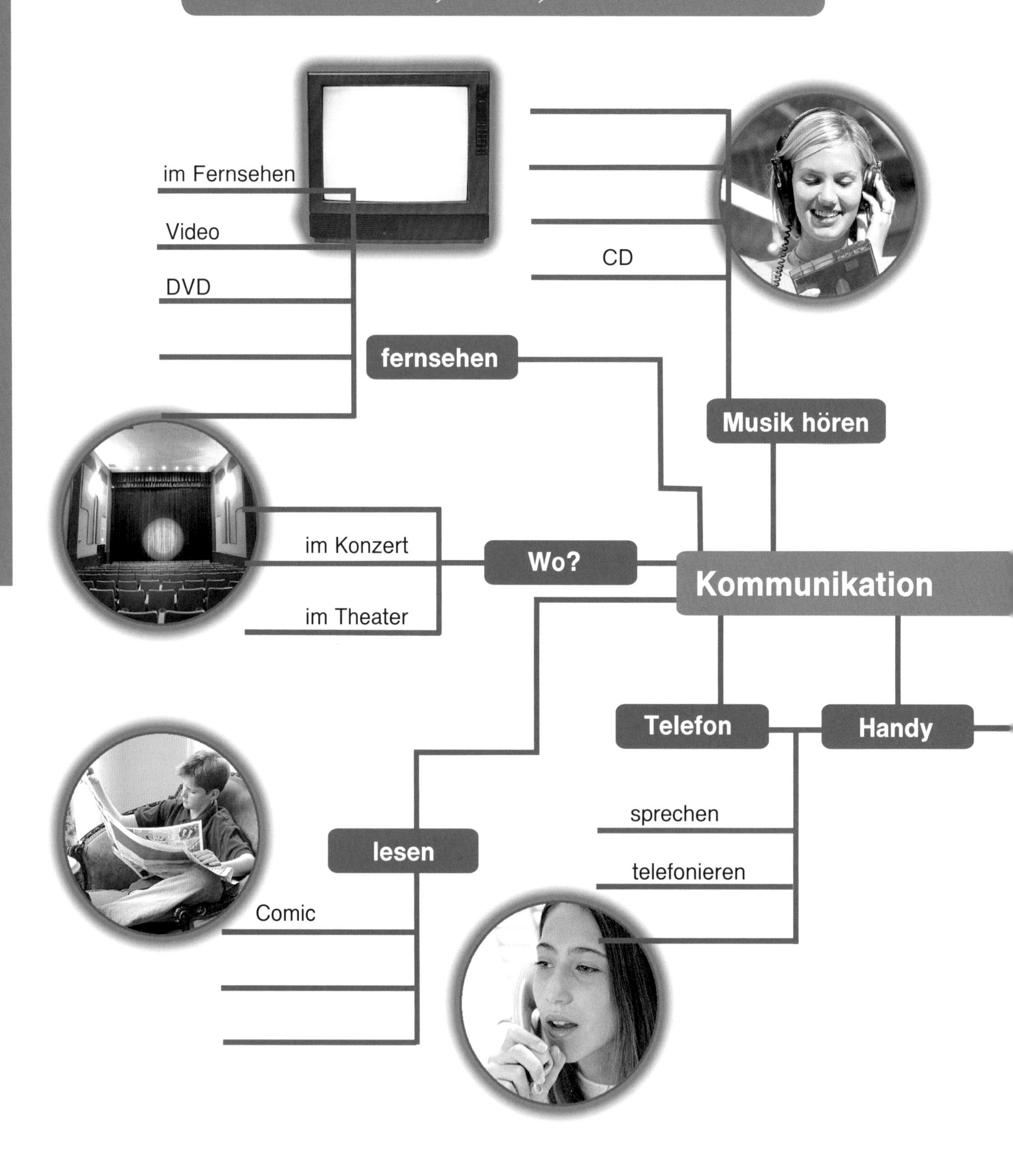

1 **Ergänze die Ausdrücke aus dem Kasten.**

schreiben	Kassetten (-rekorder)	kurz	Informationen suchen	im Kino
anrufen		lang		Krimi
im Kino	lesen	Buch	Postkarte	Walkman
schicken	schön	langweilig	interessant	Brief
im Radio	Quiz	bekommen	Zeitung	lustig

Kommunikation und Unterhaltung

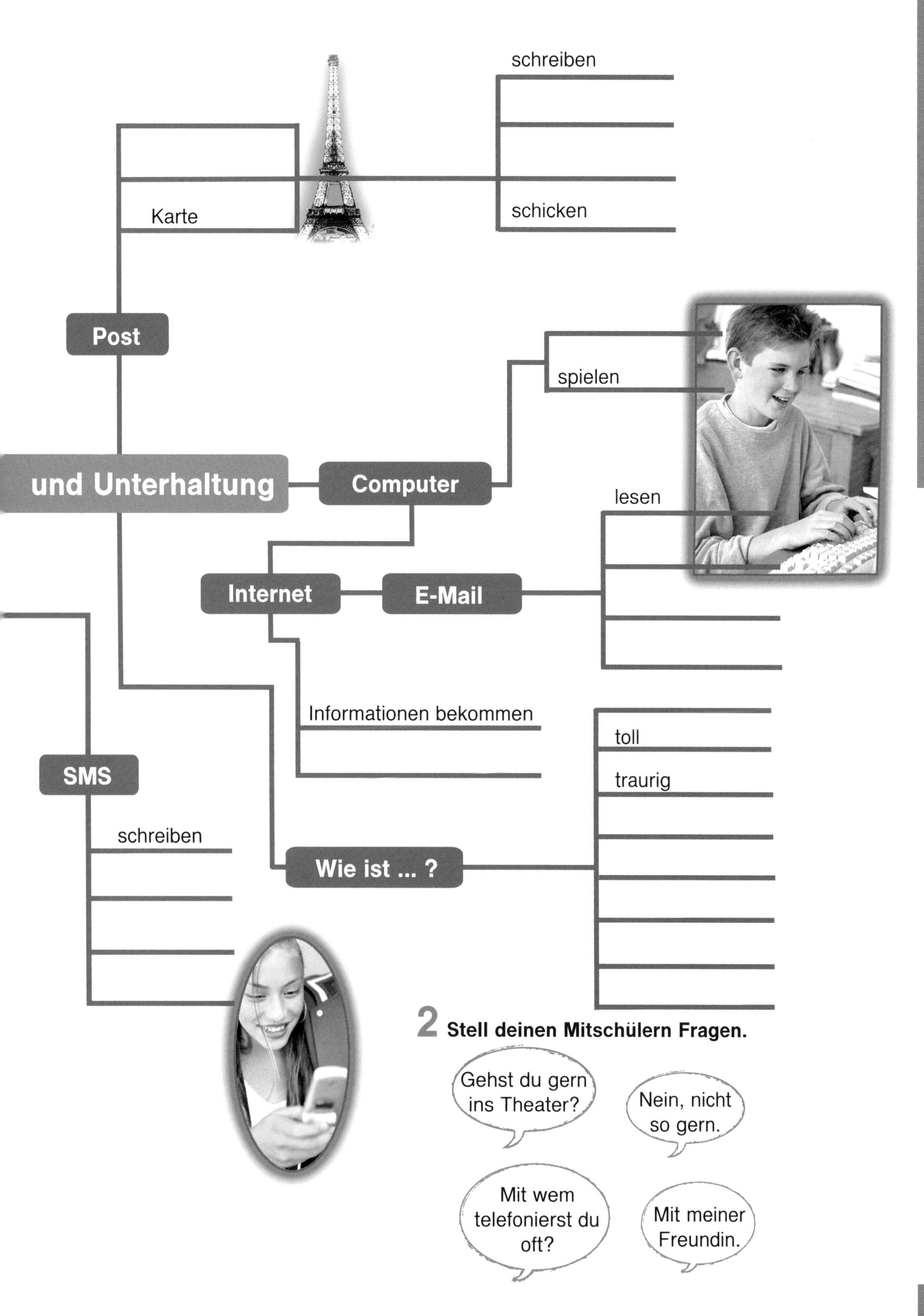

2 Stell deinen Mitschülern Fragen.

EINHEIT 4

Hören

Teil 1

Du hörst drei Nachrichten am Telefon. Jede Nachricht hörst du zweimal. Zu jeder Nachricht gibt es Aufgaben. Markiere die richtigen Lösungen.

Lies jetzt das Beispiel mit der Lösung.

Beispiel:
Wer spricht?

a

☐ Nina

b

☐ die Mutter

c

☒ Sandra

Jetzt hörst du die erste Nachricht. Lies dazu die Aufgaben 1 und 2.

1 Sandra hat jetzt … .

a

☐ eine E-Mail-Adresse

b

☐ ein Handy

c

Sandra Mayer
Hirschstraße 5
70170 Stuttgart

☐ eine neue Adresse

2 Die Nummer fängt mit … an.

a
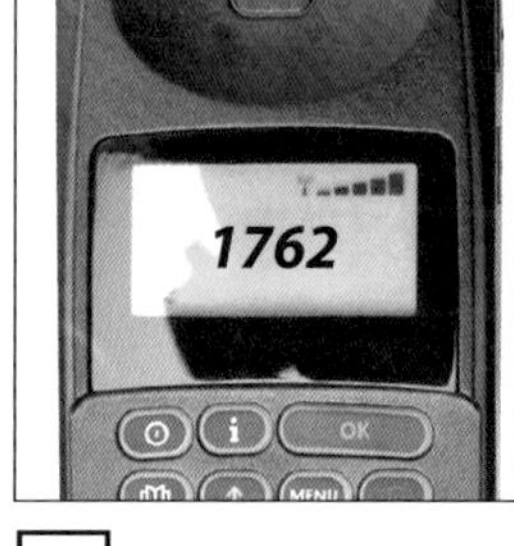

☐ 1762

b
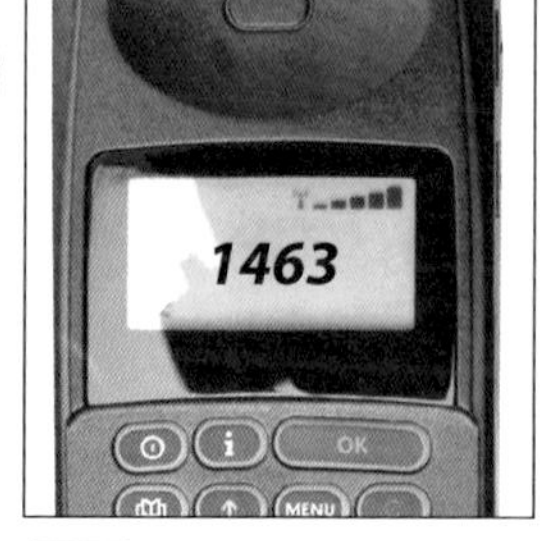

☐ 1463

c
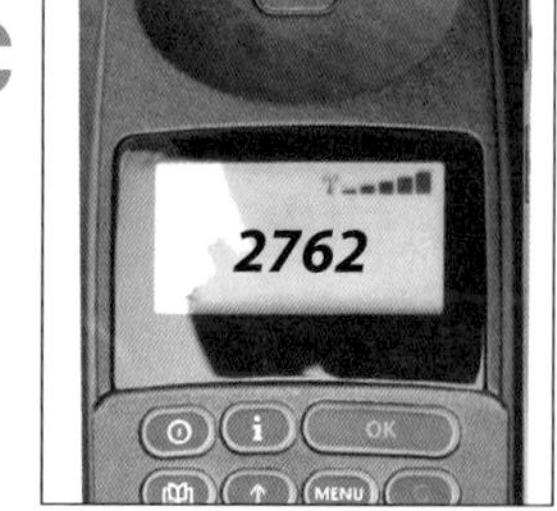

☐ 2762

Du hörst die erste Nachricht noch einmal. Markiere die Lösung zu Aufgabe 1 und 2.

Jetzt hörst du die zweite Nachricht.
Lies dazu die Aufgaben 3 und 4.

3 Wann soll Andi das Radio anmachen?

a
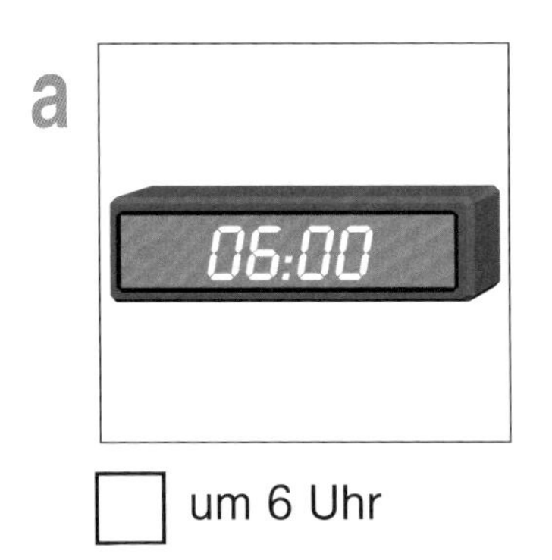

☐ um 6 Uhr

b

☐ um 18 Uhr

c

☐ um 7 Uhr

4 Im Radio sagen sie etwas über ... .

a

☐ Fußball

b

☐ den Geschichtslehrer

c

☐ die Schule

Du hörst die zweite Nachricht noch einmal.
Markiere die Lösung zu Aufgabe 3 und 4.

Hören

Jetzt hörst du die dritte Nachricht.
Lies dazu die Aufgaben 5 und 6.

5 Christian hat … .

a

☐ einen neuen Fußball

b
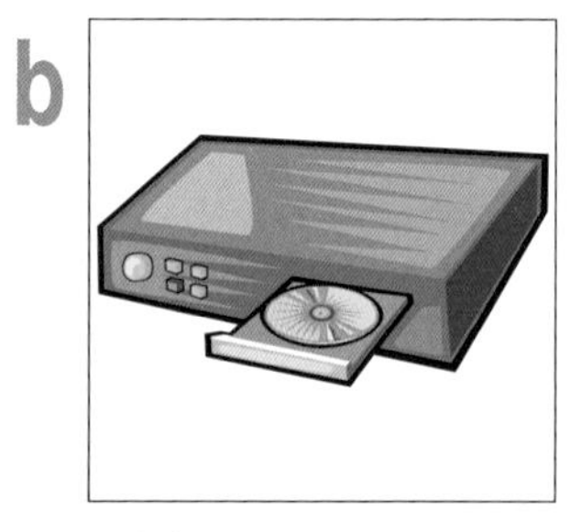
☐ einen neuen CD-Player

c

☐ ein neues Computerspiel

6 Christian spielt schon … .

a

☐ 2 Stunden

b
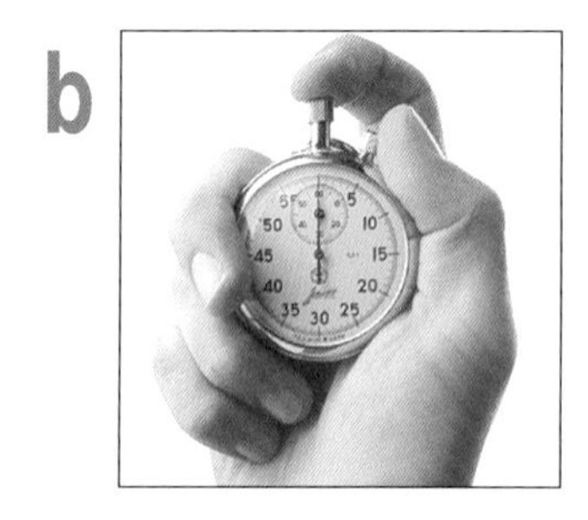
☐ 3 Stunden

c
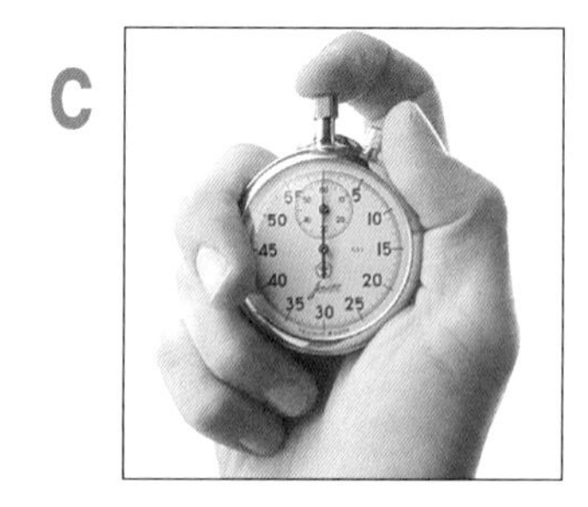
☐ 5 Stunden

Du hörst die dritte Nachricht noch einmal.
Markiere die Lösung zu Aufgabe 5 und 6.

Hören

Teil 2

Du hörst jetzt zwei Gespräche. Du hörst jedes Gespräch zweimal. Zu jedem Gespräch gibt es Aufgaben. Markiere die richtige Lösung mit einem Kreuz: R für richtig, F für falsch.

Lies jetzt das Beispiel mit der Lösung.

Beispiel:

	R	F
Katrin wünscht sich ein Tier.	☒	☐

Lies jetzt die Sätze 7, 8 und 9.

		R	F
7	In der Zeitung ist eine Anzeige.	☐	☐
8	Die Hunde sind 5 Wochen alt.	☐	☐
9	Anja und Katrin fragen die Eltern.	☐	☐

Du hörst jetzt das erste Gespräch.

Du hörst jetzt das Gespräch noch einmal. Markiere jetzt für die Sätze 7, 8 und 9. Markiere R für richtig und F für falsch.

Lies jetzt die Sätze 10, 11 und 12.

		R	F
10	Die Mädchen lesen ein Buch.	☐	☐
11	Sie sehen den Film am Samstag.	☐	☐
12	Am Sonntag kommt ein Film über Amerika.	☐	☐

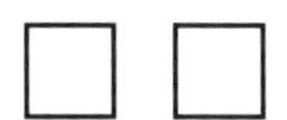

Du hörst jetzt das zweite Gespräch.

Du hörst jetzt das Gespräch noch einmal. Markiere jetzt für die Sätze 10, 11 und 12: richtig oder falsch.

Ende des Prüfungsteils „Hören“.

Lesen

Teil 1

Lies bitte die Anzeigen aus der Zeitung. Zu jedem Text gibt es drei Fragen.

Anzeige 1

NEU – „Girls Night“ bei COMPUTERKIDS in Karlsruhe!

Internetnacht nur für Mädchen von 10–16

4 Kurse im Oktober
freitags von 17.00–21.00 Uhr
1 Abend 15 Euro

Informationen: Montag–Donnerstag
18.00–20.00 Uhr
(07 21) 3 83 34 00

Anzeige 2

Lesen

Fragen 1-6

Markiere bitte die richtige Antwort mit einem Kreuz.

Beispiel:

Für wen?

- [ ] a Eltern
- [ ] b kleine Kinder
- [x] Mädchen

Anzeige 1

1

Das ist eine Anzeige für

- a eine Party
- b Internetkurse
- c Deutschunterricht

2

Wann?

- a einen Abend im Oktober
- b Montag und Donnerstag
- c vier Freitage im Oktober

3

Wie lange?

- a vier Stunden
- b fünf Stunden
- c zwei Stunden

Anzeige 2

4

Für wen ist die Anzeige?

- a nur für kleine Kinder
- b für alle
- c nur für alte Leute

5

Im August kann man

- a zwei Videokassetten für 5 Euro kaufen
- b besonders billig CDs kaufen
- c nur CDs kaufen

6

Wo?

- a auf dem Markt
- b im Geschäft
- c auf der Straße

Lesen

Teil 2

In einer Zeitschrift findest du zwei Texte über Jugendliche in Deutschland.

Beschreibung 1

Ich heiße Iris und das ist Paola. Sie wohnt in Rom. Im Sommer war sie in Deutschland. Ich schicke Paola viele E-Mails und sie schreibt mir jeden Tag einen Brief auf dem Computer. Paola kann sehr gut Deutsch. Ich kann nur ein bisschen Italienisch. Deshalb schreibe ich immer nur sehr wenig auf Italienisch. Wir telefonieren auch, aber nicht so oft.

Beschreibung 2

Also, ich bin der Mike. Ich bin 15. Am Abend bleibe ich gern zu Hause und sehe Krimis oder andere Filme im Fernsehen. Ich habe auch einen DVD-Player, ein Videogerät und viele Videokassetten. Oft kommen meine Freunde Ralf und Michael und wir sehen Filme. Das ist wie Kino. Bücher lese ich nicht so gern.

Sätze 7-12

Was ist richtig und was ist falsch?
Markiere bitte R für richtig und F für falsch.

Beispiel:

	R	F
Iris besucht ihre Freundin in Rom.	☐	☒

Beschreibung 1

Iris

		R	F
7	bekommt jeden Tag eine E-Mail von Paola.	☐	☐
8	schreibt lange Briefe auf Italienisch.	☐	☐
9	ruft oft ihre Freundin an.	☐	☐

Beschreibung 2

Mike

		R	F
10	sieht am Abend gern fern.	☐	☐
11	geht oft mit seinen Freunden ins Kino.	☐	☐
12	hat viele Bücher.	☐	☐

Ende des Prüfungsteils „Lesen“.

Schreiben

1 Lies die E-Mail von Michail aus Russland.

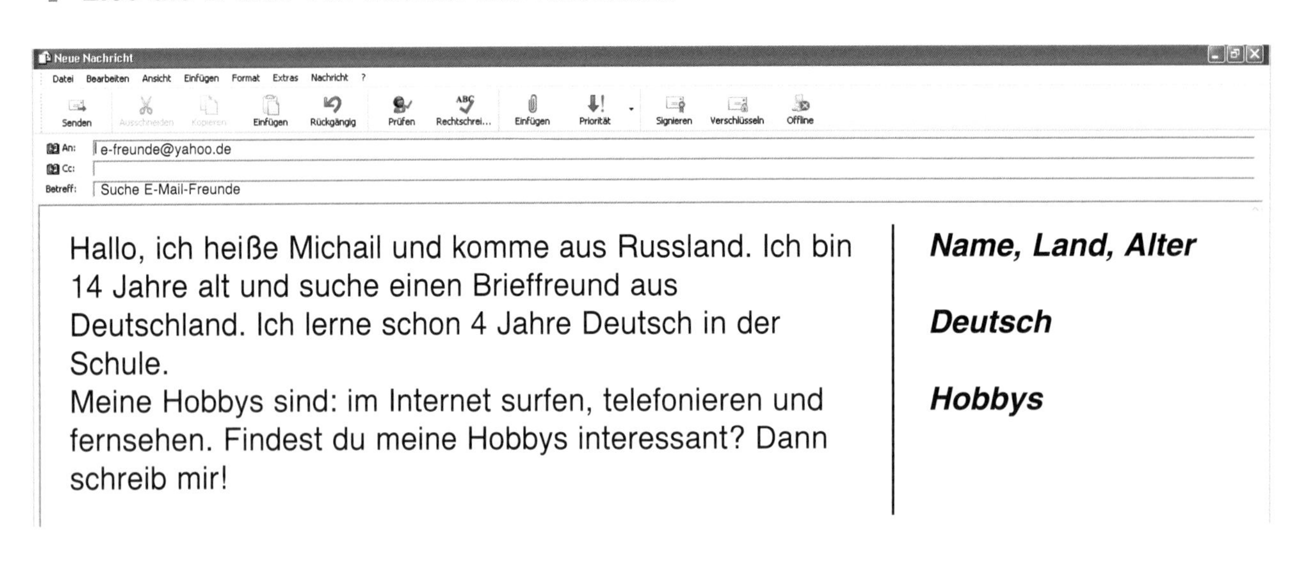

Neue Nachricht

An: e-freunde@yahoo.de
Cc:
Betreff: Suche E-Mail-Freunde

Hallo, ich heiße Michail und komme aus Russland. Ich bin 14 Jahre alt und suche einen Brieffreund aus Deutschland. Ich lerne schon 4 Jahre Deutsch in der Schule.
Meine Hobbys sind: im Internet surfen, telefonieren und fernsehen. Findest du meine Hobbys interessant? Dann schreib mir!

Name, Land, Alter

Deutsch

Hobbys

2 Antworte bitte auf diese Nachricht.
Der Steckbrief unten hilft dir dabei. Trage die Angaben in den Lückenbrief ein.

Name: Matthias
Alter: 13
Wohnort: Freiburg
Fremdsprachen: Englisch, Französisch, Italienisch
Lieblingsfächer: Deutsch, Sport
Hobbys: Computerspiele, Internet, Kino

1 ______________________
2 ______________________
3 ______________________
4 ______________________
5 ______________________
6 ______________________
7 ______________________
8 ______________________
9 ______________________

Hallo Michail,

deine Mail ist toll!
Ich heiße **[1]**, ich bin **[2]** und ich wohne in **[3]**.
Ich lerne drei Fremdsprachen: **[4]**.
Meine Lieblingsfächer sind **[5]**.
In meiner Freizeit surfe ich im **[6]**,
ich spiele **[7]** und ich gehe gern ins **[8]**.
Gehst du auch gern ins **[9]**?
Antworte schnell!

3 Schreib jetzt bitte die E-Mail.

Neue Nachricht

An: michail@yahoo.ru
Cc:
Betreff: Antw: Suche E-Mail-Freunde

____

____

____

Sprechen

Teil 1

Stell dich kurz vor (mindestens 4 Sätze).

Ich heiße ... / Mein Name ist ... .
Ich bin ... Jahre alt
und wohne in ... / komme aus ... .
Ich lerne Deutsch (und ... .)
Meine Hobbys sind ... .

Teil 2

1 Was passt zusammen? Ordne bitte passende Ausdrücke zu und bilde Sätze. (Es gibt jedes Mal nur eine richtige Lösung.)

einen Fotoapparat *mitnehmen*

____________ fernsehen

oft Briefe ____________

gern Videos ____________

____________ telefonieren

____________ lesen

Bücher und Zeitungen
oft mit Freunden
jeden Abend
~~mitnehmen~~
schreiben
sehen

Beispiel: *Ich nehme einen Fotoapparat mit.*

____

____

____

____

____

Sprechen

2 Bilde W-Fragen und spielt die Dialoge in der Klasse.

Beispiel:

Wie oft	liest du Bücher?	Meinem Freund.
Wem	telefonierst du?	Am Wochenende.
Mit wem	schreibst du Briefe?	Jeden Abend.
Wann	siehst du fern?	Mit meinen Freunden.

3 Bilde JA-NEIN-Fragen und spielt die Dialoge in der Klasse.

Beispiel:

Nimmst du	oft mit Freunden	mit	Nein, nicht besonders gern.
Siehst du	gern deutsche Bücher		Vielleicht.
Schreibst du	gern Videos	?	Nein, ich telefoniere lieber.
Siehst du	einen Fotoapparat zur Party	fern	Nein, ich finde sie zu schwer.
Telefonierst du	viele Briefe		Ja, sehr oft.
Liest du	oft		Nein. Das wollen meine Eltern nicht.

Sprechen

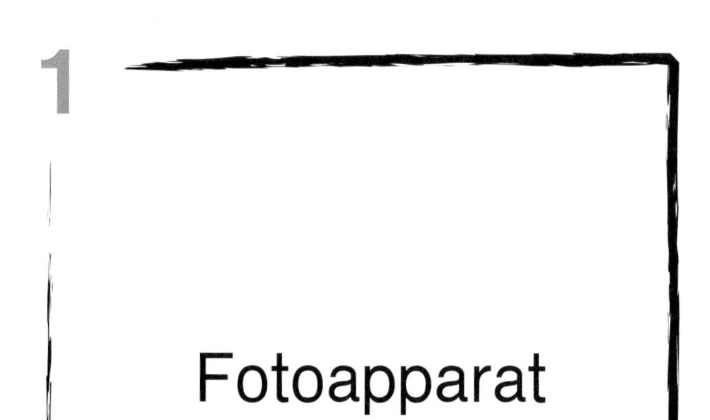

1

Fotoapparat

2

Briefe

3

Videos

4

fernsehen

5

lesen

6

telefonieren

Sprechen

Teil 3

1 Was bedeuten die Piktogramme? Schreib bitte das Wort darunter.

a 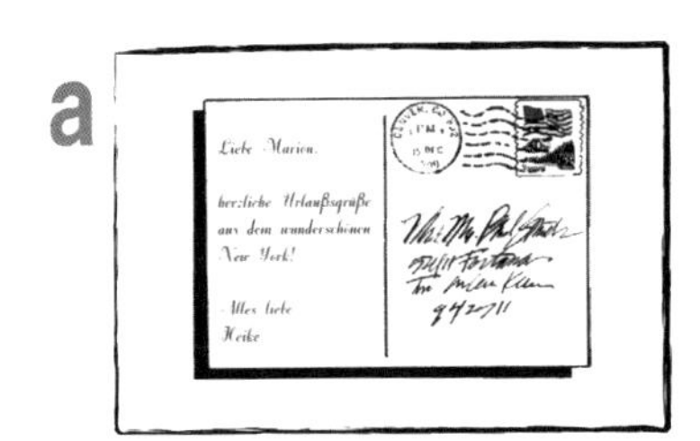

____

b

Sandra Mayer
Hirschstraße 5
70170 Stuttgart

____

c 

____

d 

____

e 

____

f 

____

2 Ordne passende Verben zu.
(Es gibt jedes Mal nur eine richtige Lösung.)

eine Postkarte *schicken*
die Adresse ________________
im Internet ________________
CDs ________________
deine Eltern ________________
mir das Handy ________________

anrufen **geben** **hören** ~~**schicken**~~ **schreiben** **surfen**

3 Nimm eine Karte: ! oder ?
Wirf eine Münze: Kopf oder Zahl? Bei „Kopf" mach eine Aufforderung, bei „Zahl" mach eine Frage.

!!!

Schick *mir bitte eine Postkarte!* *Ja, sicher.*

Schick	heute Abend deine Eltern		Das mache ich sicher.
Schreib	mir sofort das Handy		Das ist eine gute Idee.
Surf	die Adresse bitte richtig	!	Da, nimm es!
Hör	doch mal im Internet		Na klar!
Ruf	mir bitte eine Postkarte	an	Das mache ich oft.
Gib	doch CDs		Ja, sicher.

???

Ergänze Wörter von den Piktogrammen.

Wie ist deine *Telefonnummer* ?	*4 79 26 63.*
Surfst du oft im ________________ ?	Ja, jeden Tag.
Welche ________________ hörst du gern?	Die von den U2.
Hast du ein ________________ ?	Ja. Ich telefoniere oft mit meiner Mutter.
Schickst du mir eine ______________ aus Australien? ______________________	Ja, sicher.
Wie ist deine ________________ ?	Ich wohne in der Marktstraße 12.

1

2

3

4

5

6

Ich kauf mir was!

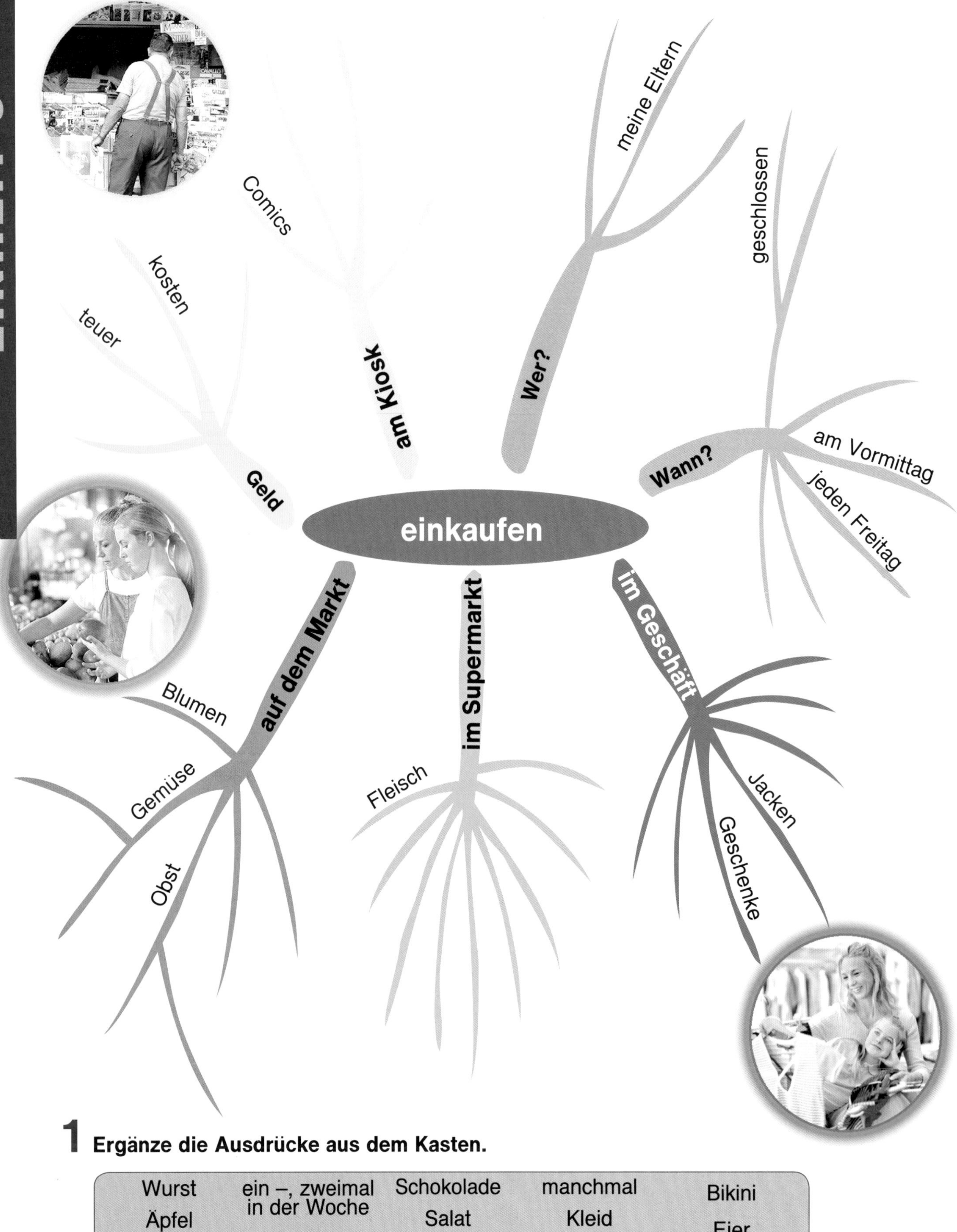

1 **Ergänze die Ausdrücke aus dem Kasten.**

Wurst	ein –, zweimal in der Woche	Schokolade	manchmal	Bikini
Äpfel	Bananen	Salat	Kleid	Eier
Ringe	Jeans	Marmelade	billig	meine Mutter
Kuchen	Quark	Zeitungen	Mantel	Eis
mein Vater	Fisch	Kartoffeln	Brot	offen
bezahlen		Saft	am Samstag	

Essen und Trinken, Einkaufen

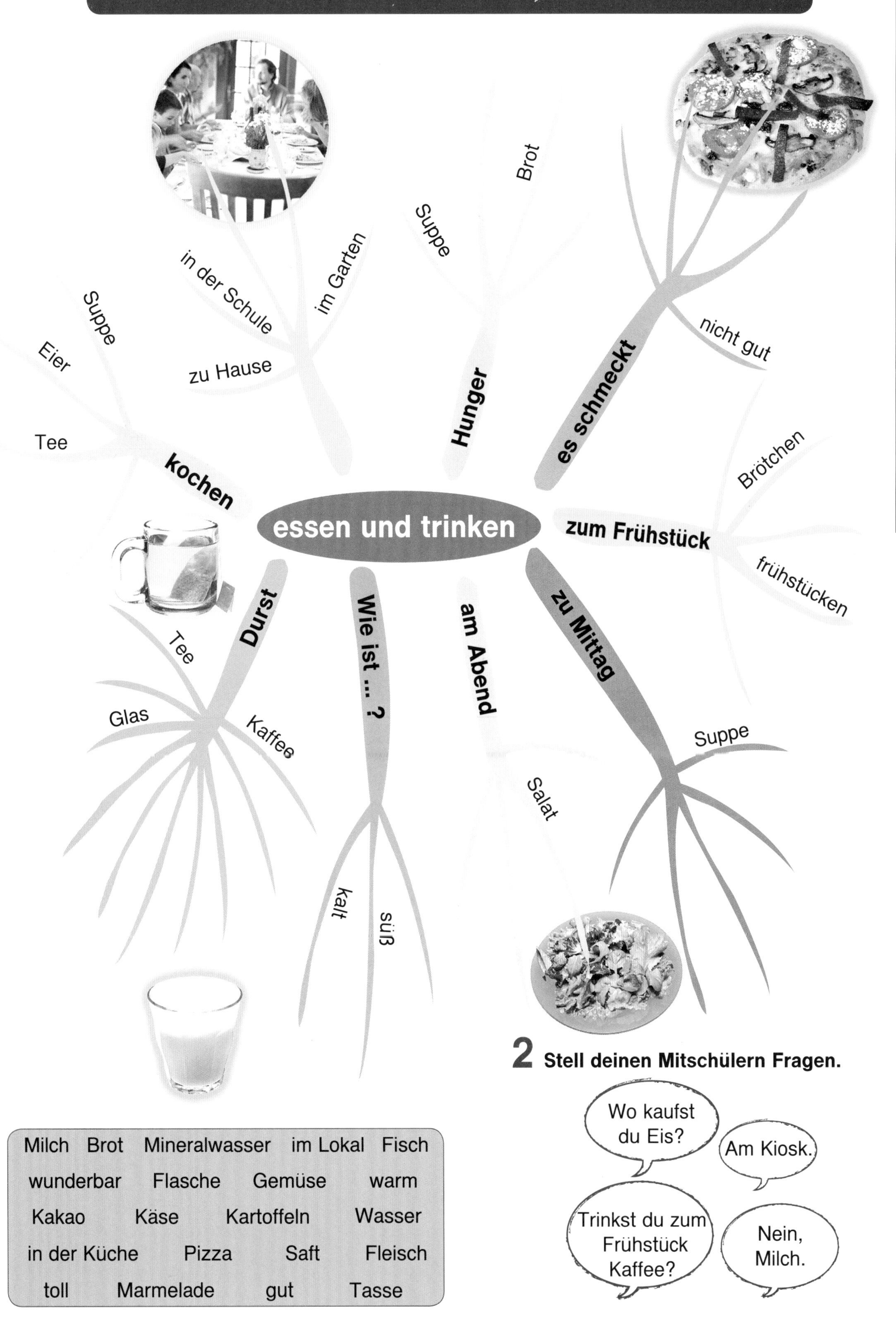

Milch Brot Mineralwasser im Lokal Fisch
wunderbar Flasche Gemüse warm
Kakao Käse Kartoffeln Wasser
in der Küche Pizza Saft Fleisch
toll Marmelade gut Tasse

2 Stell deinen Mitschülern Fragen.

Hören

Teil 1

Du hörst drei Nachrichten am Telefon. Jede Nachricht hörst du zweimal. Zu jeder Nachricht gibt es Aufgaben. Markiere die richtigen Lösungen.

Lies jetzt das Beispiel mit der Lösung.

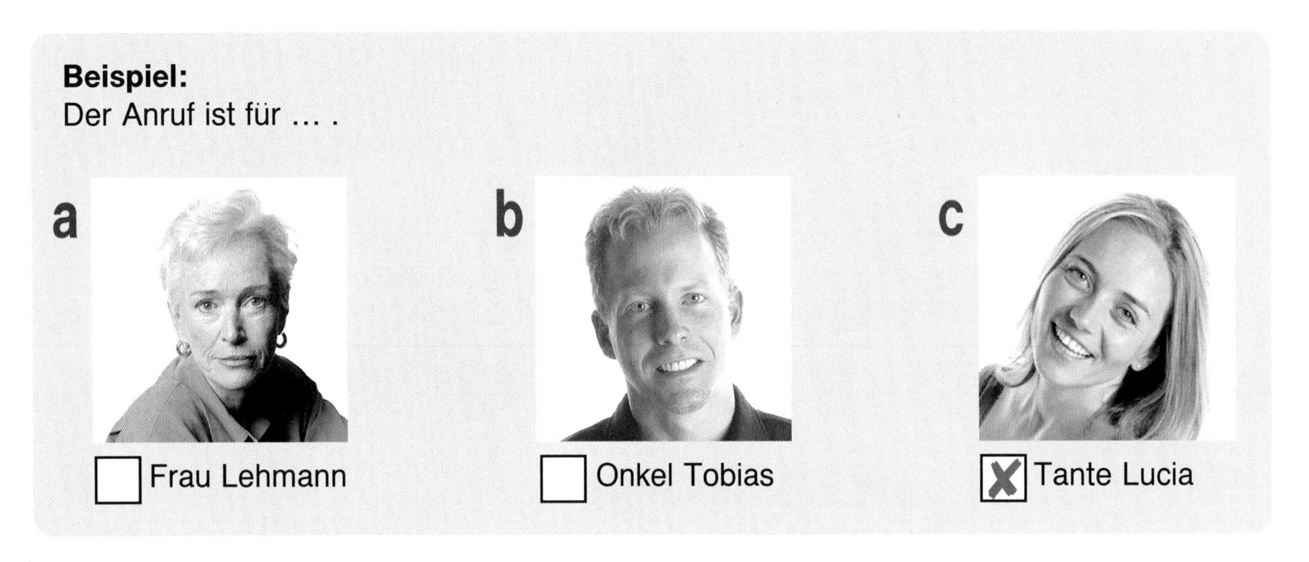

Beispiel:
Der Anruf ist für … .

a ☐ Frau Lehmann

b ☐ Onkel Tobias

c ☒ Tante Lucia

Jetzt hörst du die erste Nachricht. Lies dazu die Aufgaben 1 und 2.

1 Sabine hat … .

a
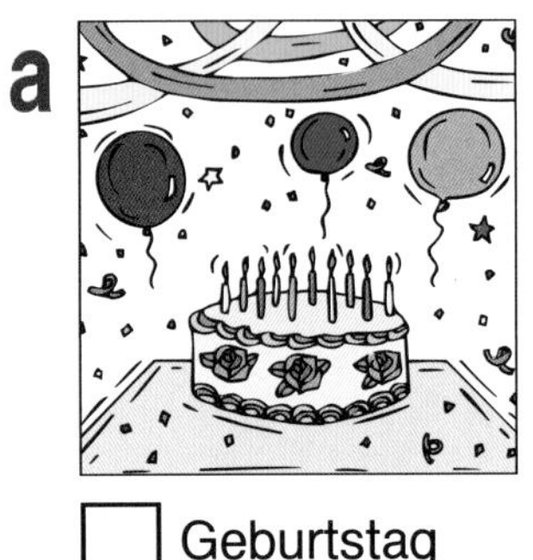
☐ Geburtstag

b

☐ eine Idee

c

☐ Schule

2 Zum Geburtstag gibt es … .

a

☐ Pizza und Salat

b

☐ Tee und Brötchen

c
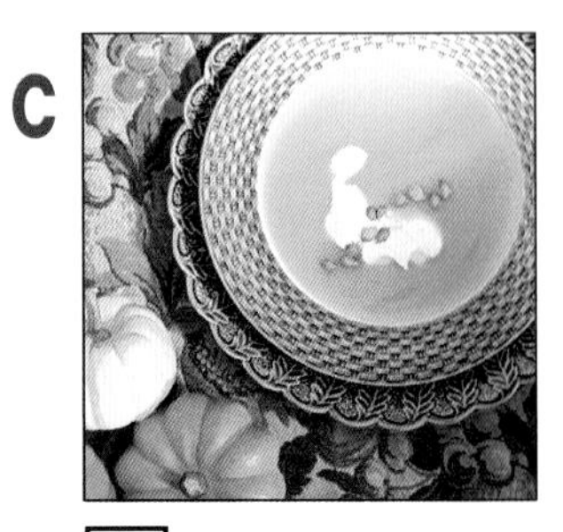
☐ Suppe

Du hörst die erste Nachricht noch einmal. Markiere die Lösung zu Aufgabe 1 und 2.

Jetzt hörst du die zweite Nachricht.
Lies dazu die Aufgaben 3 und 4.

3 Was bringt Rainer mit?

a 

☐ Saft

b 

☐ Mineralwasser

c 

☐ Kartoffelsalat

4 Die Klassenparty fängt um .... an.

a 

☐ 18 Uhr

b 

☐ 19 Uhr

c 

☐ 20 Uhr

Du hörst die zweite Nachricht noch einmal.
Markiere die Lösung zu Aufgabe 3 und 4.

Hören

Jetzt hörst du die dritte Nachricht.
Lies dazu die Aufgaben 5 und 6.

5 Wohin soll Leonie gehen?

a

☐ zum Supermarkt

b

☐ ins Kino

c

☐ in die Schule

6 Was soll Leonie kaufen?

a

☐ Schokolade

b
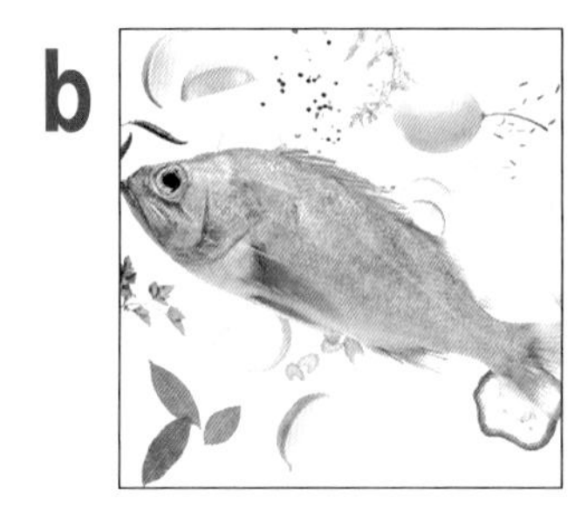
☐ Fisch

c
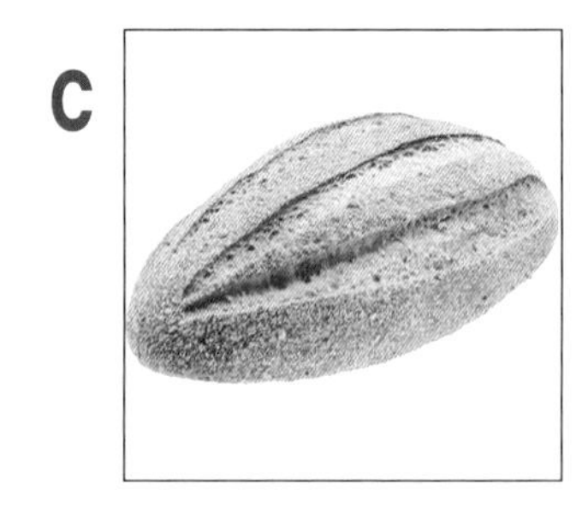
☐ Brot

Du hörst die dritte Nachricht noch einmal.
Markiere die Lösung zu Aufgabe 5 und 6.

Hören

Teil 2

Du hörst jetzt zwei Gespräche. Du hörst jedes Gespräch zweimal. Zu jedem Gespräch gibt es Aufgaben. Markiere die richtige Lösung mit einem Kreuz: R für richtig, F für falsch.

Lies jetzt das Beispiel mit der Lösung.

Beispiel:

	R	F
Vater und Tochter essen zu Hause.	☐	☒

Lies jetzt die Sätze 7, 8 und 9.

		R	F
7	Lena isst gern Fisch.	☐	☐
8	Der Vater isst Fleisch.	☐	☐
9	Lena trinkt Wasser.	☐	☐

Du hörst jetzt das erste Gespräch.

Du hörst jetzt das Gespräch noch einmal. Markiere jetzt für die Sätze 7, 8 und 9. Markiere R für richtig und F für falsch.

Lies jetzt die Sätze 10, 11 und 12.

		R	F
10	Helen und Stefan machen Frühstück.	☐	☐
11	Helen kocht Eier.	☐	☐
12	Stefan trinkt Milch.	☐	☐

Du hörst jetzt das zweite Gespräch.

Du hörst jetzt das Gespräch noch einmal. Markiere jetzt für die Sätze 10, 11 und 12: richtig oder falsch.

Ende des Prüfungsteils „Hören".

Lesen

Teil 1

Lies bitte die Anzeigen aus der Zeitung. Zu jedem Teil gibt es drei Fragen.

Anzeige 1

Im Lokal „Zur Post" haben alle ihren Spaß.

Eltern können gemütlich zu Mittag essen.
Für Kinder gibt es hier
ein Spielzimmer mit vielen Spielsachen
und einen Spielplatz.

Spezialitäten für alle und nicht teuer
Kein Frühstück

Nur 2 Minuten zur Bushaltestelle
Infos: www.zurpost.de

Anzeige 2

Kochen ganz leicht!

Alles ist schnell fertig
und schmeckt gut!
Eine tolle Idee für Kinder!

„Kinder kochen"
Kochbuch deutsch und englisch
7,50 Euro
Einfach im Internet kaufen.
www.buecher.de

Für sich selbst kaufen oder zum Geburtstag schenken!

Fragen 1-6

Markiere bitte die richtige Antwort mit einem Kreuz.

Beispiel:

Das ist eine Anzeige für

- [ ] a ein Geschäft
- [ ] b einen Spielplatz
- [x] c ein Lokal

Anzeige 1

1

Für wen?

- a Familien mit Kindern
- b nur für Kinder
- c nur für junge Leute

2

Was kann man da machen?

- a frühstücken
- b Spielsachen kaufen
- c essen und spielen

3

Was ist nicht weit?

- a ein Spielzimmer
- b eine Bushaltestelle
- c die Post

Anzeige 2

4

Das ist eine Anzeige für

- a das Internet
- b ein Buch
- c ein Geschäft

5

Was gibt es da?

- a Ideen zum Kochen
- b Übungen für Deutsch
- c englische Geschichten

6

Für wen?

- a junge Leute
- b Kinder
- c Mädchen

Teil 2

In einer Zeitschrift findest du zwei Texte über Jugendliche in Deutschland.

Beschreibung 1

Hallo, ich heiße Rosi. Ich kann gut kochen. Manchmal koche ich am Wochenende für die ganze Familie. Leider esse ich auch sehr gern. Deshalb bin ich ziemlich dick. Meine Eltern sagen, ich muss viel Fisch, Obst und Gemüse essen und Wasser trinken. Sie haben ja Recht. Aber ich mag lieber Fleisch, Kuchen und Eis und Cola.

Beschreibung 2

Ich bin Timmy. Wir sind vier Kinder und müssen alle zu Hause helfen. Mein großer Bruder und ich kaufen oft im Supermarkt ein. Manchmal gehen wir aber auch auf den Markt. Kerstin und Heike machen morgens das Frühstück. Ich kann schon zwei Tage nichts essen. Mein Zahn tut weh. Ich muss zum Zahnarzt gehen, aber ich habe Angst.

Sätze 7-12

Was ist richtig und was ist falsch?
Markiere bitte R für richtig und F für falsch.

Beispiel:

	R	F
Rosi trinkt gern Cola.	☒	☐

Beschreibung 1

Rosi

		R	F
7	kocht immer für die ganze Familie.	☐	☐
8	ist sehr groß.	☐	☐
9	isst nicht so gern Fisch.	☐	☐

Beschreibung 2

Timmy

		R	F
10	geht für die Familie einkaufen.	☐	☐
11	isst nicht oft Frühstück.	☐	☐
12	war beim Zahnarzt.	☐	☐

Ende des Prüfungsteils „Lesen“.

Schreiben

1 Lies die E-Mail von Jacques aus Frankreich.

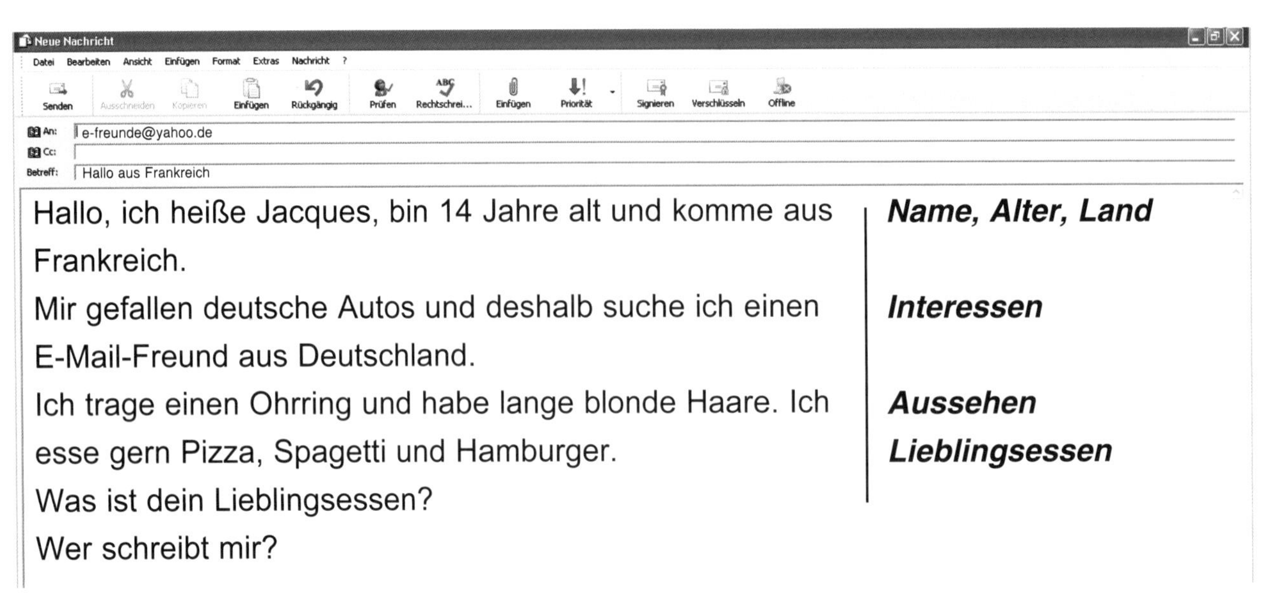

An: e-freunde@yahoo.de
Cc:
Betreff: Hallo aus Frankreich

Hallo, ich heiße Jacques, bin 14 Jahre alt und komme aus Frankreich.	***Name, Alter, Land***
Mir gefallen deutsche Autos und deshalb suche ich einen E-Mail-Freund aus Deutschland.	***Interessen***
Ich trage einen Ohrring und habe lange blonde Haare.	***Aussehen***
Ich esse gern Pizza, Spagetti und Hamburger. Was ist dein Lieblingsessen?	***Lieblingsessen***
Wer schreibt mir?	

2 Antworte bitte auf diese Nachricht.
Der Text unten hilft dir dabei. Ergänze die passenden Wörter.

antworten – essen – gefallen – heißen – machen – schmecken – sein – sprechen – wohnen

Hallo Jacques,

deine Mail **[1]** mir.
Ich **[2]** Oliver, ich **[3]** zwölf Jahre alt und **[4]** in Heidelberg. Leider **[5]** ich nicht Französisch. Ich **[6]** auch sehr gern Pizza und Spagetti, aber Hamburger **[7]** nicht so gut. Was **[8]** du in deiner Freizeit?
[9] schnell!

1 ______________________
2 ______________________
3 ______________________
4 ______________________
5 ______________________
6 ______________________
7 ______________________
8 ______________________
9 ______________________

3 Schreib jetzt bitte die E-Mail.

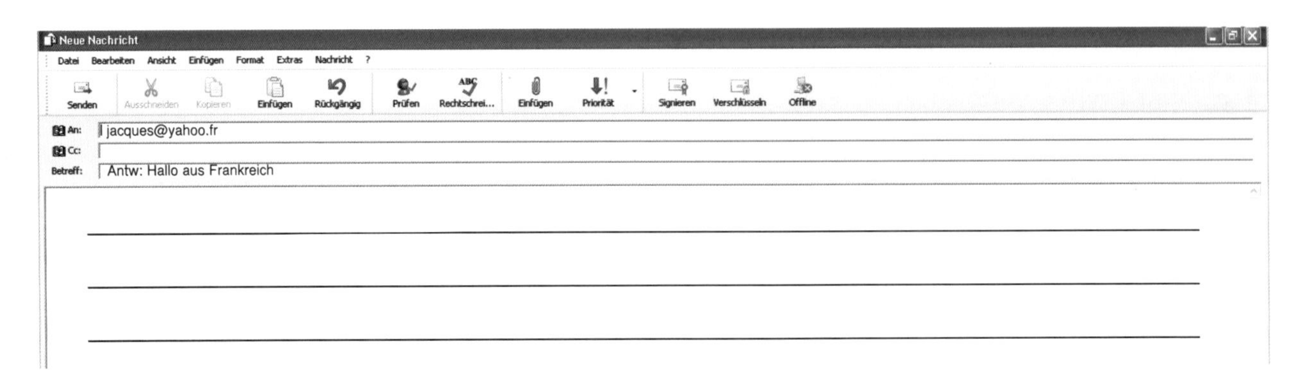

Sprechen

Teil 1

Stell dich kurz vor (mindestens 4 Sätze).

Ich heiße ... / Mein Name ist ... .
Ich bin ... Jahre alt
und wohne in ... / komme aus ... .
Ich lerne Deutsch (und ... .)
Meine Hobbys sind ... .

Teil 2

1 **Was passt zusammen? Ordne bitte passende Ausdrücke zu und bilde Sätze. (Es gibt jedes Mal nur eine richtige Lösung.)**

oft Spagetti *kochen*

in die Apotheke ______________

______________ einkaufen

Hunger ______________

Fisch ______________

______________ trinken

gehen

haben

~~**kochen**~~

mögen

Saft

im Supermarkt

Beispiel: *Ich koche oft Spagetti.*

____

____

____

____

____

____

Sprechen

2 Bilde W-Fragen und spielt die Dialoge in der Klasse.

Beispiel:

Wie oft	magst du keinen Fisch?	Tee.
Wann	möchtest du trinken?	Im Supermarkt.
Wo	gehst du in die Apotheke?	Jeden Tag.
Warum	kaufst du ein?	Jetzt gleich.
Was	kochst du Spagetti?	Ich weiß nicht.

3 Bilde JA-NEIN-Fragen und spielt die Dialoge in der Klasse.

Beispiel:

Kochst du	Hunger		Nein, nicht besonders.
Kaufst du	gern Tee	ein	Ja, ich möchte jetzt Spagetti essen.
Hast du	Fisch	**?**	Nein, nur einmal in der Woche.
Magst du	im Supermarkt		Nein, ich trinke lieber Coca Cola.
Trinkst du	oft Spagetti		Ja, ich brauche Brot, Wurst und Käse.

Sprechen

1

2

Spagetti

3

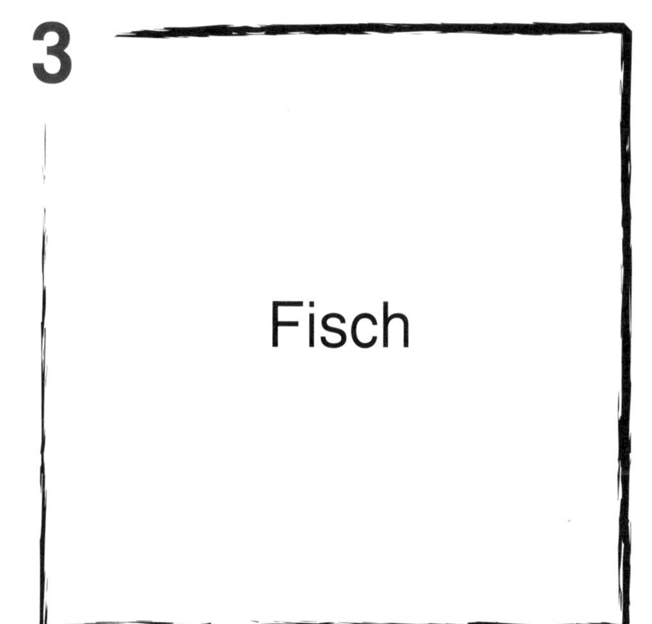

4

Hunger

5

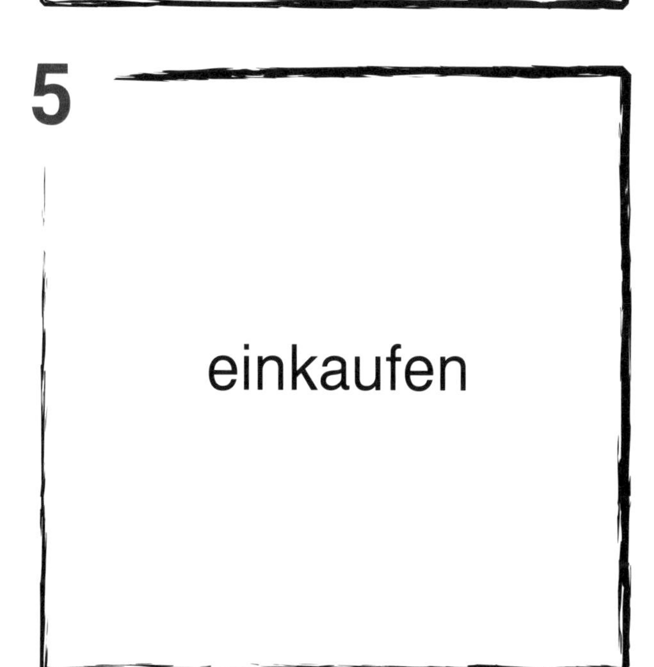

6

trinken

Sprechen

Teil 3

1 Was bedeuten die Piktogramme? Schreib bitte das Wort darunter.

a  ______________

b  ______________

c  ______________

d  ______________

e  ______________

f  ______________

**2 Ordne passende Verben zu.
(Es gibt jedes Mal nur eine Lösung.)**

arbeiten essen kaufen ~~kochen~~ tragen zumachen

oft Gemüse *kochen*

in der Küche ______________

zum Frühstück Brot mit Marmelade ______________

ein Eis ______________

den Kühlschrank ______________

gern Jeans ______________

**3 Nimm eine Karte.
Bei „!" mach eine Aufforderung,
bei „?" mach eine Frage.**

!!!

Koch bitte oft Gemüse! *Ich mag aber kein Gemüse!*

Koch Mach Kauf	bitte den Kühlschrank doch ein Eis bitte oft Gemüse	zu !	Ja, toll! Ich mag aber kein Gemüse! Ja, klar!

Sprechen

???

Wer	*arbeitet in der Küche?*	*Mein Vater.*
Wer Wo Welche Jeans	ist die Marmelade? gefallen dir? arbeitet in der Küche?	Diese Jeans hier. Mein Vater. Auf dem Tisch.

Arbeitest du	*gern in der Küche?*	*Nein, das macht keinen Spaß.*
Arbeitest du Isst du Trägst du	zum Frühstück Brot mit Marmelade? gern Jeans? gern in der Küche?	Ja, ich mag Jeans. Nein, das macht keinen Spaß. Nein. Ich esse lieber Corn-Flakes mit Milch.

Stadt, Land, Fluss

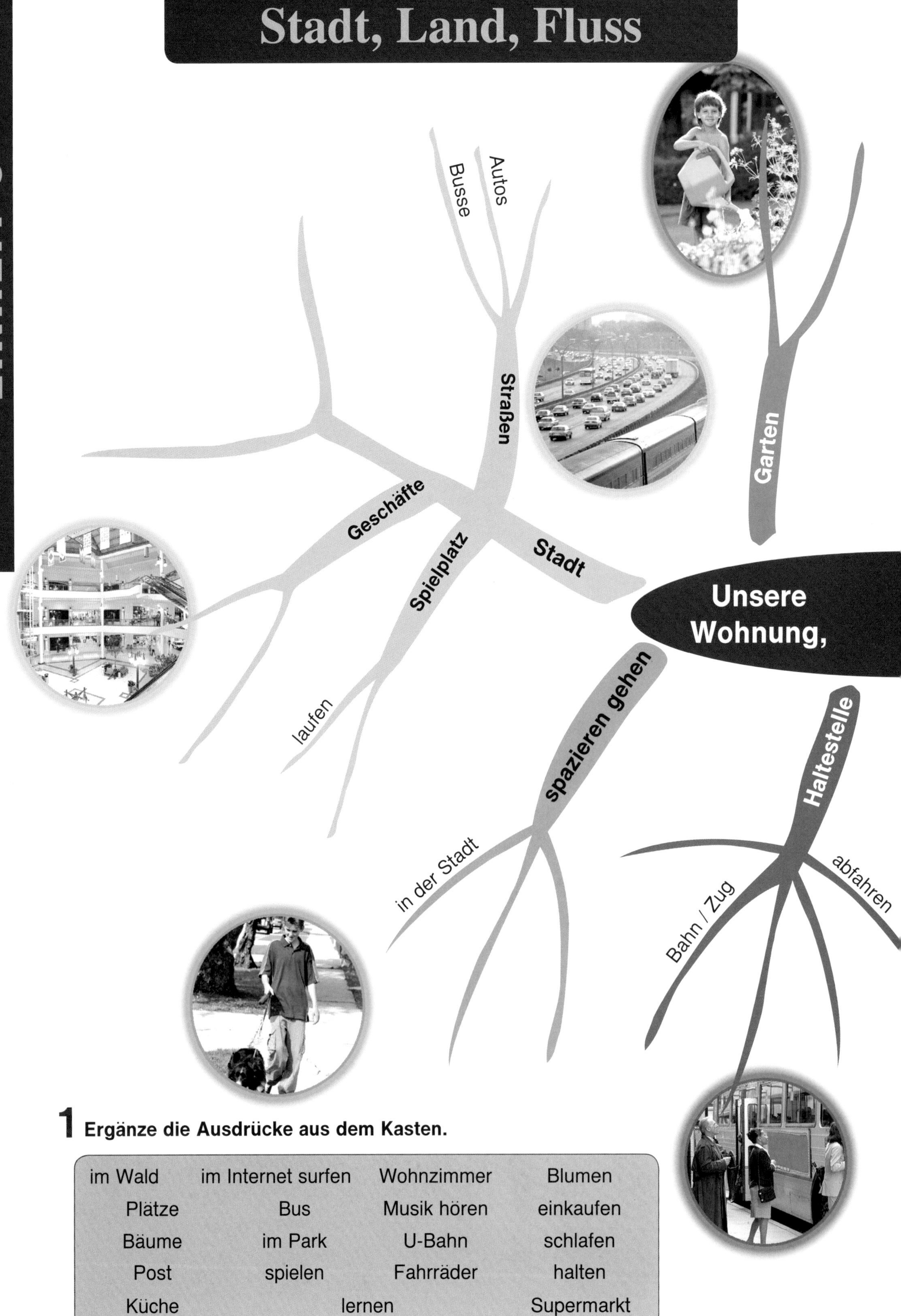

1 **Ergänze die Ausdrücke aus dem Kasten.**

im Wald	im Internet surfen	Wohnzimmer	Blumen
Plätze	Bus	Musik hören	einkaufen
Bäume	im Park	U-Bahn	schlafen
Post	spielen	Fahrräder	halten
Küche	lernen		Supermarkt

Unsere Wohnung, unsere Umwelt

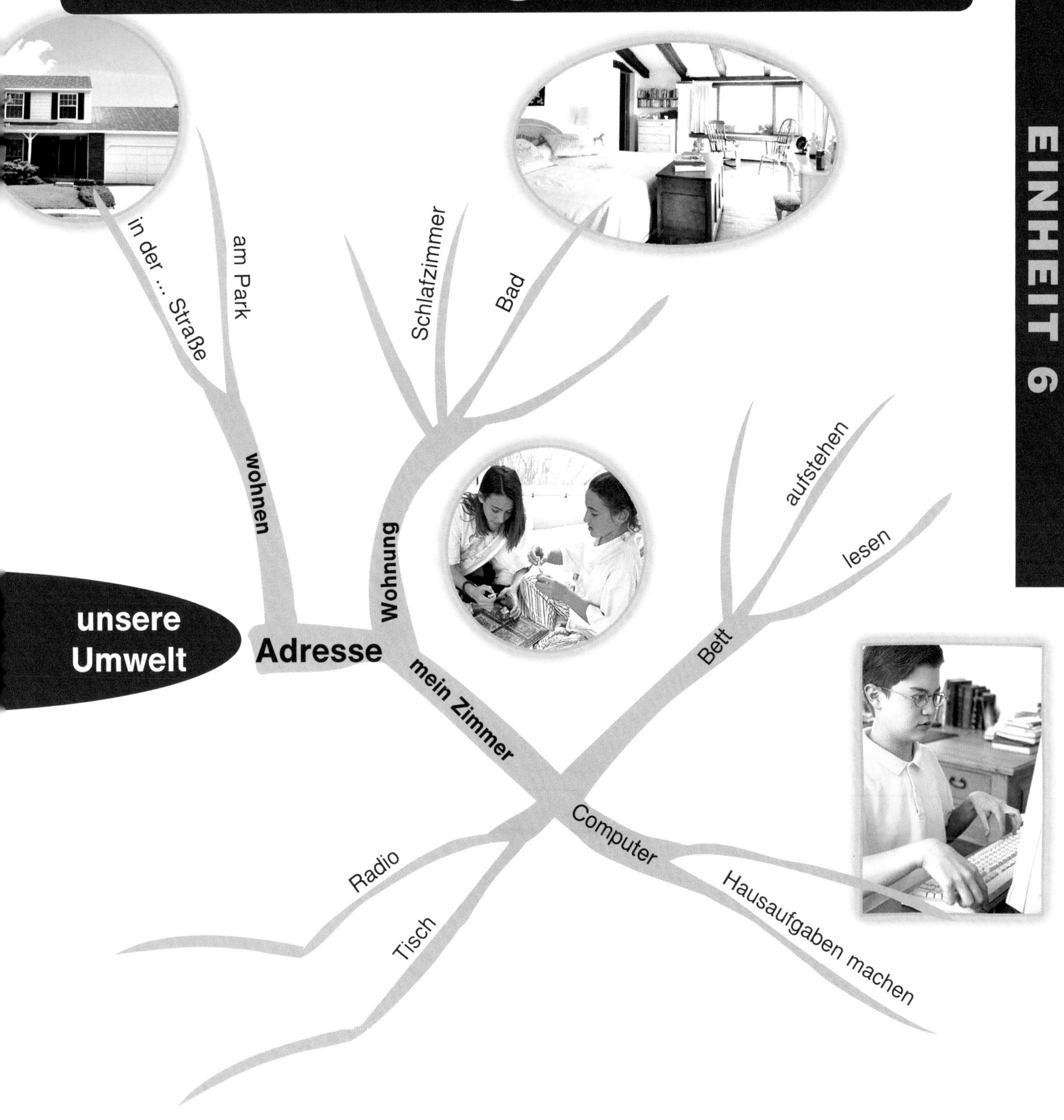

2 **Stell deinen Mitschülern Fragen.**

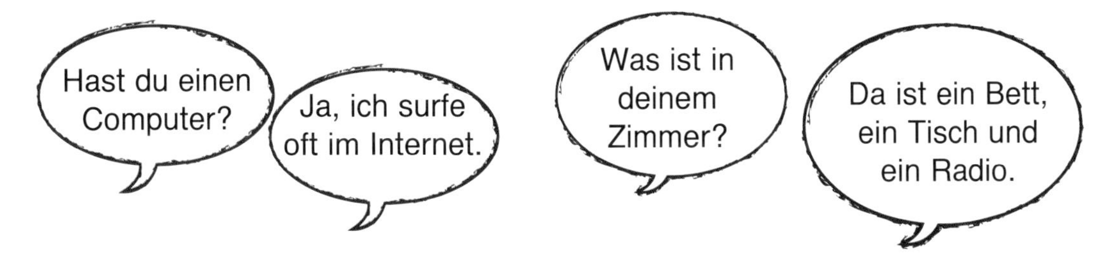

Hören

Teil 1

Du hörst drei Nachrichten am Telefon. Jede Nachricht hörst du zweimal. Zu jeder Nachricht gibt es Aufgaben. Markiere die richtigen Lösungen.

Lies jetzt das Beispiel mit der Lösung.

Beispiel:
Für wen ist der Anruf?

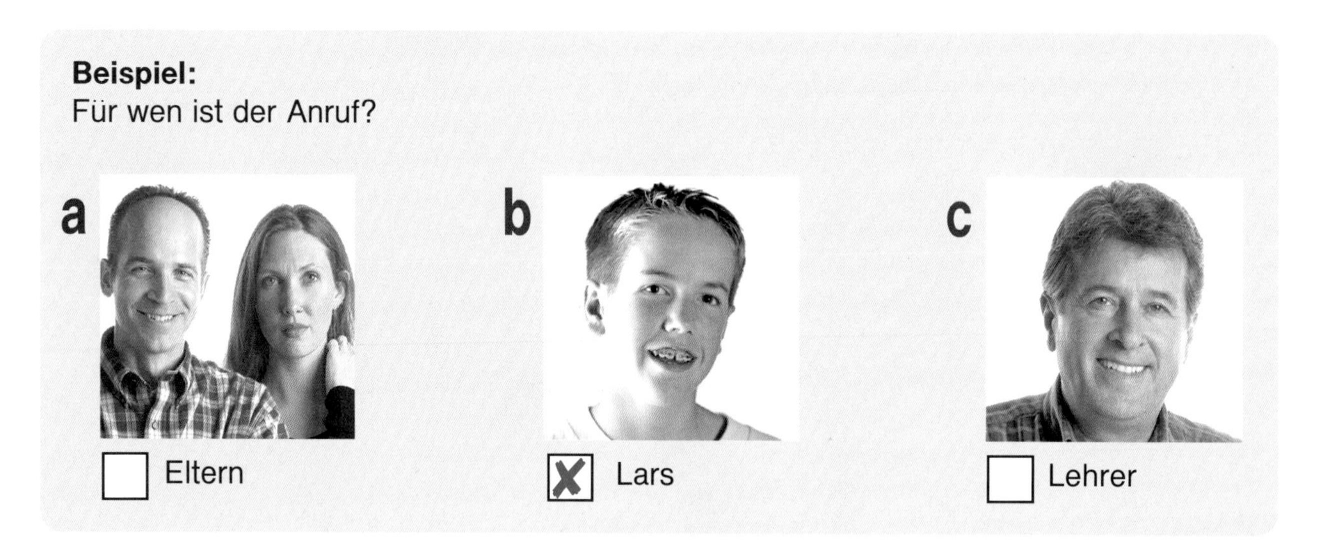

a ☐ Eltern
b ☒ Lars
c ☐ Lehrer

Jetzt hörst du die erste Nachricht. Lies dazu die Aufgaben 1 und 2.

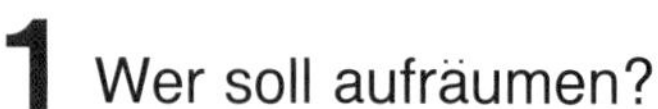

1 Wer soll aufräumen?

a ☐ Oma
b ☐ Eltern
c ☐ Timo

2 Wann kommt Oma?

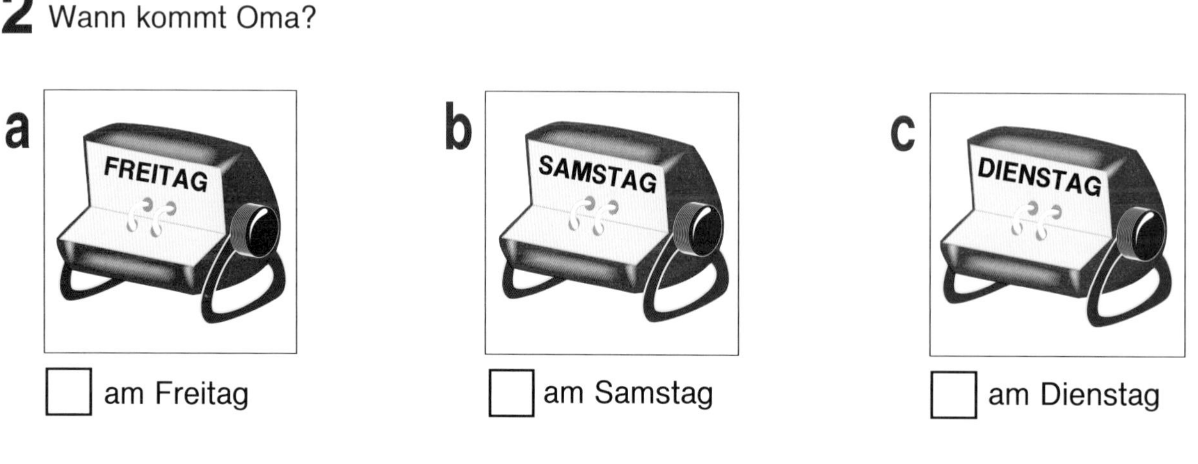

a ☐ am Freitag
b ☐ am Samstag
c ☐ am Dienstag

Du hörst die erste Nachricht noch einmal. Markiere die Lösung zu Aufgabe 1 und 2.

Hören

Jetzt hörst du die zweite Nachricht.
Lies dazu die Aufgaben 3 und 4.

3 Die Mädchen treffen sich … .

a

☐ am Haus am See

b

☐ an der Haltestelle

c

☐ an der Schule

4 Wie soll Susi fahren?

a

☐ mit dem Fahrrad

b

☐ mit dem Zug

c

☐ mit dem Bus

Du hörst die zweite Nachricht noch einmal.
Markiere die Lösung zu Aufgabe 3 und 4.

Hören

Jetzt hörst du die dritte Nachricht.
Lies dazu die Aufgaben 5 und 6.

5 Wann sind die Eltern nicht da?

a

☐ am Freitag

b

☐ am Samstag

c

☐ am Wochenende

6 Kerstin hat für Lisa … .

a

☐ ein Bett

b

☐ ein Buch

c

☐ ein Foto

Du hörst die dritte Nachricht noch einmal.
Markiere die Lösung zu Aufgabe 5 und 6.

Teil 2

Du hörst jetzt zwei Gespräche. Du hörst jedes Gespräch zweimal. Zu jedem Gespräch gibt es Aufgaben. Markiere die richtige Lösung mit einem Kreuz: R für richtig, F für falsch.

Lies jetzt das Beispiel mit der Lösung.

Beispiel:

	R	F
Martin ist der Bruder von Jörg.	☐	☒

Lies jetzt die Sätze 7, 8 und 9.

	R	F
7 Martin wohnt nicht mehr zu Hause.	☐	☐
8 Martin hat zwei Schlafzimmer.	☐	☐
9 Jörg will Martin besuchen.	☐	☐

Du hörst jetzt das erste Gespräch.

Du hörst jetzt das Gespräch noch einmal. Markiere jetzt für die Sätze 7, 8 und 9. Markiere R für richtig und F für falsch.

Lies jetzt die Sätze 10, 11 und 12.

	R	F
10 Oliver und Chris sind in der Stadt.	☐	☐
11 Viele Leute fahren mit dem Bus.	☐	☐
12 In der Stadt gibt es viele Parks.	☐	☐

Du hörst jetzt das zweite Gespräch.

Du hörst jetzt das Gespräch noch einmal. Markiere jetzt für die Sätze 10, 11 und 12: richtig oder falsch.

Ende des Prüfungsteils „Hören“.

Lesen

Teil 1

Lies bitte die Anzeigen aus der Zeitung. Zu jedem Text gibt es drei Fragen.

Anzeige 1

Hallo Leute!

**Ihr braucht Sachen für euer Zimmer?
1 Bett, 20 Euro, 1 Tisch für euren Computer, 15 Euro, 1 Lampe, 5 Euro**

Oder ihr kauft alles zusammen für nur 30 Euro!!!

Ruft mich auf dem Handy an: Moritz, 01 51 12 60 55 62, 19.00 – 21.00 Uhr.

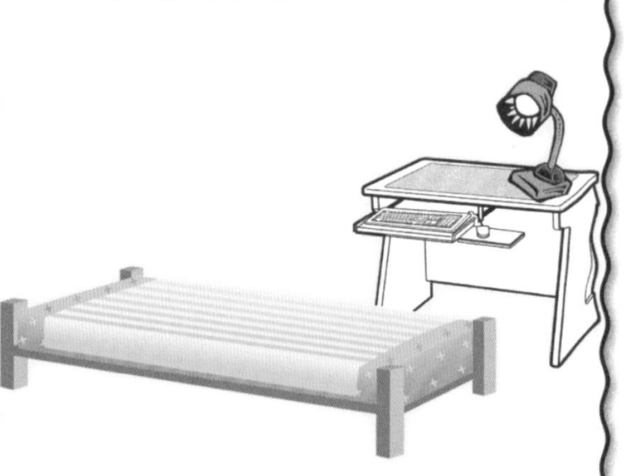

Anzeige 2

Aktion „Schöner Park"!!!

Wir, die Klasse 6A, wollen im Victoria-Park „Ordnung machen" (alte Flaschen, alte Zeitungen und andere Sachen einsammeln).
Helft ihr uns?

Kommt jetzt am Sonntag um 10.00 Uhr zum U-Bahnhof Yorckstraße.
Wir warten vor dem Sportgeschäft.

Fragen 1-6

Markiere bitte die richtige Antwort mit einem Kreuz.

Beispiel:

Das ist eine Anzeige für

- [X] Möbel
- b Handys
- c Zimmer

Anzeige 1

1

Für wen?

- a für kleine Kinder
- b ältere Leute
- c junge Leute

2

Die Sachen

- a muss man teuer bezahlen
- b kann man sehr billig kaufen
- c kann man nur alle zusammen kaufen

3

Man kann Moritz

- a immer anrufen
- b am Abend anrufen
- c nur zu Hause anrufen

Anzeige 2

4

Die Jugendlichen wollen im Wald

- a Sport machen
- b spazieren gehen
- c „aufräumen"

5

Wann?

- a jeden Sonntag
- b an einem Sonntag
- c an einem Nachmittag

6

Wo treffen?

- a im Park
- b im Sportgeschäft
- c am U-Bahnhof

Teil 2

In einer Zeitschrift findest du zwei Texte über Jugendliche in Deutschland.

Beschreibung 1

Hallo, ich heiße Andreas und bin 13. Mein Bruder ist 15. Wir wohnen mit unseren Eltern in Berlin. Unsere Wohnung hat ein Wohnzimmer, ein Schlafzimmer, ein Zimmer für Besuch, eine Küche und ein Bad. Ich habe ein eigenes Zimmer und mein Bruder auch. Leider haben wir keinen Garten. Aber der Park ist nicht weit.

Beschreibung 2

Mein Name ist Sylvia. Ich bin in Heidelberg geboren. Jetzt lebe ich mit meinen Eltern in Nürnberg. Mein Zimmer ist ziemlich klein, aber es gibt ein großes Fenster und viele Poster. Ich räume nicht oft auf und überall liegen Bücher und andere Sachen. Aber ich finde es sehr gemütlich.

Sätze 7-12

Was ist richtig und was ist falsch?
Markiere bitte R für richtig und F für falsch.

Beispiel:

	R	F
Andreas hat einen kleinen Bruder.	☐	☒

Beschreibung 1

Andreas

		R	F
7	wohnt in einer kleinen Stadt.	☐	☐
8	wohnt in einer großen Wohnung.	☐	☐
9	hat mit seinem Bruder zusammen ein Zimmer.	☐	☐

Beschreibung 2

Sylvia

		R	F
10	wohnt in Heidelberg.	☐	☐
11	hat Geschwister.	☐	☐
12	mag ihr Zimmer.	☐	☐

Ende des Prüfungsteils „Lesen".

Schreiben

1 Lies die E-Mail von Carmen aus Spanien.

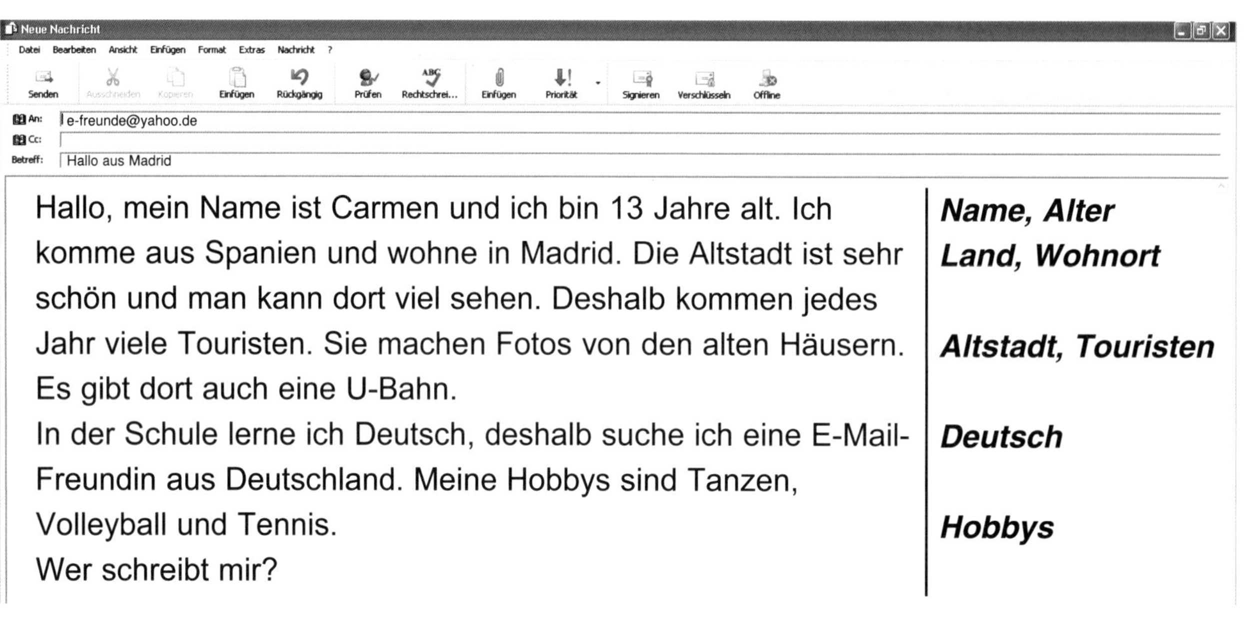
Neue Nachricht
Datei Bearbeiten Ansicht Einfügen Format Extras Nachricht ?
Senden Ausschneiden Kopieren Einfügen Rückgängig Prüfen Rechtschrei... Einfügen Priorität Signieren Verschlüsseln Offline
An: e-freunde@yahoo.de
Cc:
Betreff: Hallo aus Madrid

Hallo, mein Name ist Carmen und ich bin 13 Jahre alt. Ich komme aus Spanien und wohne in Madrid. Die Altstadt ist sehr schön und man kann dort viel sehen. Deshalb kommen jedes Jahr viele Touristen. Sie machen Fotos von den alten Häusern. Es gibt dort auch eine U-Bahn.
In der Schule lerne ich Deutsch, deshalb suche ich eine E-Mail-Freundin aus Deutschland. Meine Hobbys sind Tanzen, Volleyball und Tennis.
Wer schreibt mir?

Name, Alter
Land, Wohnort
Altstadt, Touristen
Deutsch
Hobbys

2 Antworte bitte auf diese Nachricht.
Der Text unten hilft dir dabei. Ergänze die passenden Wörter.

besuchen **Fluss** **Fußball** **Gärten**

Klavier **kommen** **Musik** **Stadt**

Hallo Carmen,
deine E-Mail gefällt mir!
Ich heiße Alexandra, bin 12 Jahre alt und wohne in Dresden.
Dresden ist eine interessante **[1]** und liegt an einem **[2]** , an der Elbe. Hier gibt es schöne alte Häuser mit großen **[3]**. Ich möchte dich gern in Madrid **[4]** und du kannst zu mir nach Dresden **[5]**. In meiner Freizeit spiele ich oft mit meinen Freunden **[6]**. Ich spiele auch in einer Band **[7]**. Welche **[8]** hörst du gern?
Antworte schnell!

1 ____________________
2 ____________________
3 ____________________
4 ____________________
5 ____________________
6 ____________________
7 ____________________
8 ____________________

3 Schreib jetzt bitte die E-Mail.

Neue Nachricht
Datei Bearbeiten Ansicht Einfügen Format Extras Nachricht ?
Senden Ausschneiden Kopieren Einfügen Rückgängig Prüfen Rechtschrei... Einfügen Priorität Signieren Verschlüsseln Offline
An: carmen@yahoo.es
Cc:
Betreff: Antw: Hallo aus Madrid

____

____

____

Sprechen

Teil 1

Stell dich kurz vor (mindestens 4 Sätze).

Ich heiße ... / Mein Name ist ... .
Ich bin ... Jahre alt
und wohne in ... / komme aus ... .
Ich lerne Deutsch (und ... .)
Meine Hobbys sind ... .

Teil 2

1 Was passt zusammen? Ordne bitte passende Ausdrücke zu und bilde Sätze. (Es gibt jedes Mal nur eine richtige Lösung.)

einen Ausflug mit der Schule *machen*

Blumen auf dem Balkon ___________

auf dem Spielplatz Freunde ______________

______________ spazieren gehen

im Garten _____________

____________ mir gefallen

~~machen~~ | haben | spielen | im Park | meine Stadt | treffen

Beispiel: *Ich mache einen Ausflug mit der Schule.*

____

____

____

____

____

____

Sprechen

2 **Bilde W-Fragen und spielt die Dialoge in der Klasse.**

Beispiel:

Wann	ist im Garten?	Nach der Schule.
Wie	machst du den Ausflug?	Meine Mutter und mein Bruder.
Wann	findest du mein Zimmer?	Nächste Woche.
Wer	gehst du auf den Spielplatz?	Es ist super.

3 **Bilde JA-NEIN-Fragen und spielt die Dialoge in der Klasse.**

Beispiel:

Gehst du	dir mein Zimmer	spazieren	Ja, jeden Tag.
Machst du	oft im Garten		Ja, sehr gern.
Hast du	gern		Vielleicht.
Spielst du	einen Ausflug mit der Schule	?	Ja, ich gehe gleich.
Gefällt	jetzt auf den Spielplatz		Nein, leider nicht.
Gehst du	Blumen auf dem Balkon		Ja. Es ist toll.

Sprechen

1 Blumen	**2** Ausflug
3 Garten	**4** spazieren gehen
5 Spielplatz	**6** gefallen

Sprechen

Teil 3

1 Was bedeuten die Piktogramme? Schreib bitte das Wort darunter.

a

____

b

____

c

____

d

____

e

____

f

____

2 Ordne passende Verben zu.
(Es gibt jedes Mal nur eine richtige Lösung.)

das Bett *machen*__________
das Wohnzimmer ________________
die U-Bahn __________________
das Fenster ________________
zur Post _______________
schnell zur Haltestelle _________________

aufmachen
aufräumen
gehen
laufen
nehmen
~~machen~~

3 Nimm eine Karte.
Bei „!" mach eine Aufforderung,
bei „?" mach eine Frage.

!!!

Mach *jetzt bitte dein Bett!* *Ja, gleich.*

Mach	endlich das Wohnzimmer	auf	Ich habe jetzt keine Zeit.
Räum	bitte das Fenster	auf	Sofort!
Mach	jetzt bitte dein Bett	!	Ja, gleich!

Sprechen

???

Wie	*komme ich zur Post?*	*Du gehst hier geradeaus und dann rechts.*
Wie	ist hier eine Haltestelle?	Um 3 Uhr.
Wann	komme ich zur Post?	Am Marktplatz.
Wo	kommt die U-Bahn?	Du gehst hier geradeaus und dann rechts.

Fährt	*die U-Bahn oft?*	*Ja, sehr oft.*
Fährt	den Brief zur Post?	Ja, am Kino.
Ist	die U-Bahn oft?	Ja, das mache ich heute Nachmittag.
Bringst du	hier die Haltestelle?	Ja, sehr oft.

Endlich Ferien!

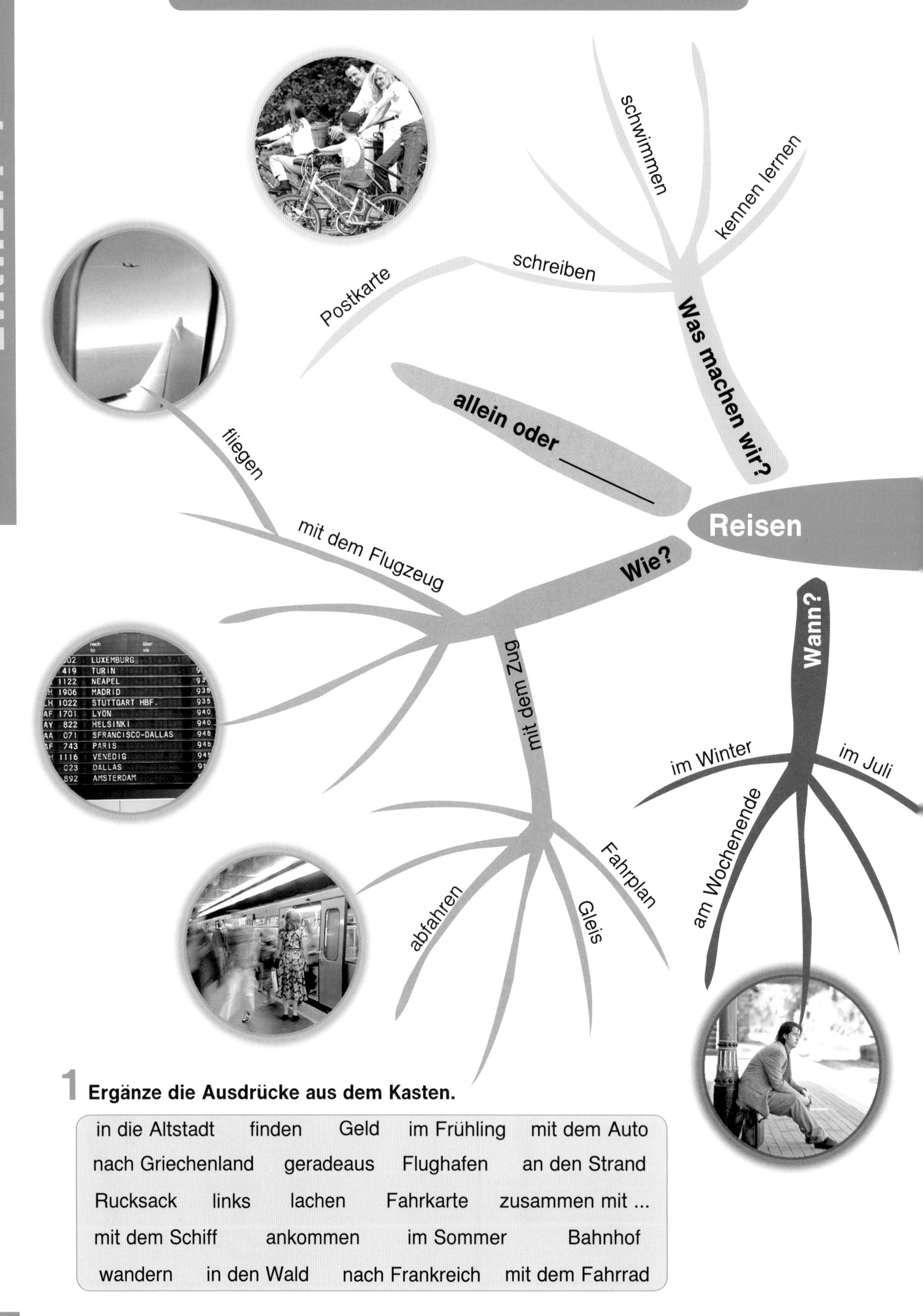

1 Ergänze die Ausdrücke aus dem Kasten.

in die Altstadt	finden	Geld	im Frühling	mit dem Auto
nach Griechenland	geradeaus	Flughafen	an den Strand	
Rucksack	links	lachen	Fahrkarte	zusammen mit ...
mit dem Schiff	ankommen	im Sommer	Bahnhof	
wandern	in den Wald	nach Frankreich	mit dem Fahrrad	

Reisen und Ausflüge

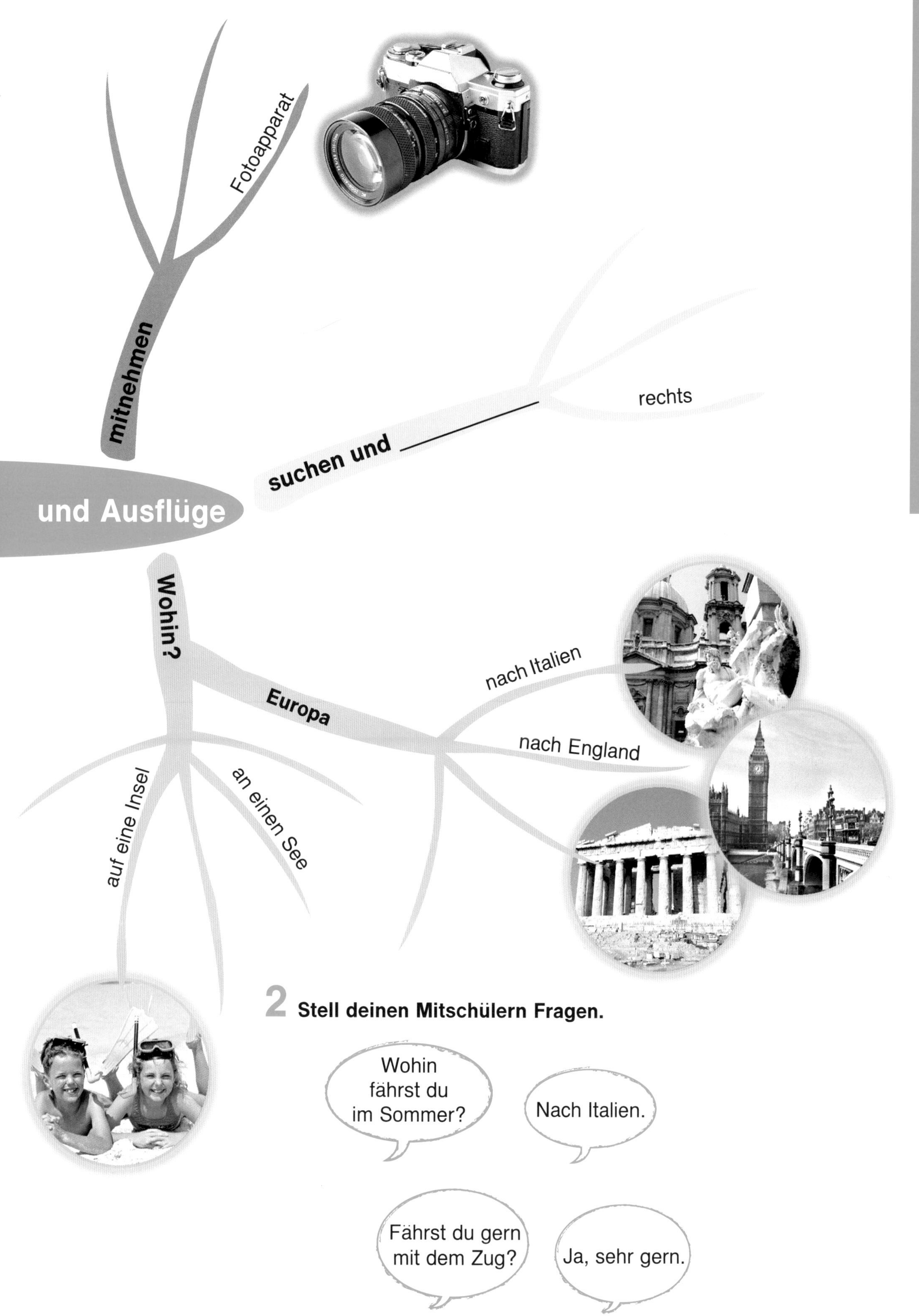

2 Stell deinen Mitschülern Fragen.

Hören

Teil 1

Du hörst drei Nachrichten am Telefon. Jede Nachricht hörst du zweimal. Zu jeder Nachricht gibt es Aufgaben. Markiere die richtigen Lösungen.

Lies jetzt das Beispiel mit der Lösung.

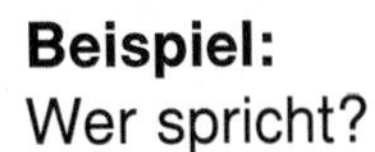

Beispiel:
Wer spricht?

a

☐ Lukas

b

☐ Lehrer

c

☒ Nobby

Jetzt hörst du die erste Nachricht. Lies dazu die Aufgaben 1 und 2.

1 Was sehen sich die Freunde an?

a

☐ Tennis

b

☐ Fußball

c

☐ Basketball

2 Wann treffen sie sich?

a
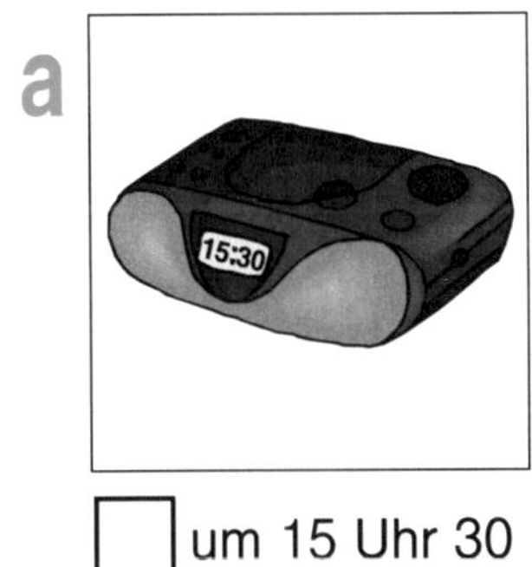

☐ um 15 Uhr 30

b
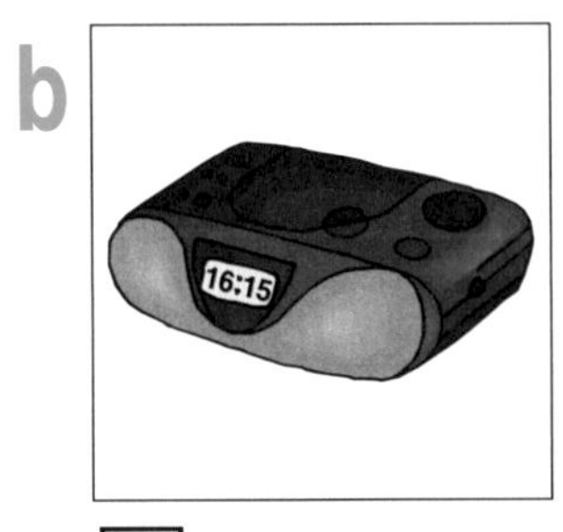

☐ um 16 Uhr 15

c
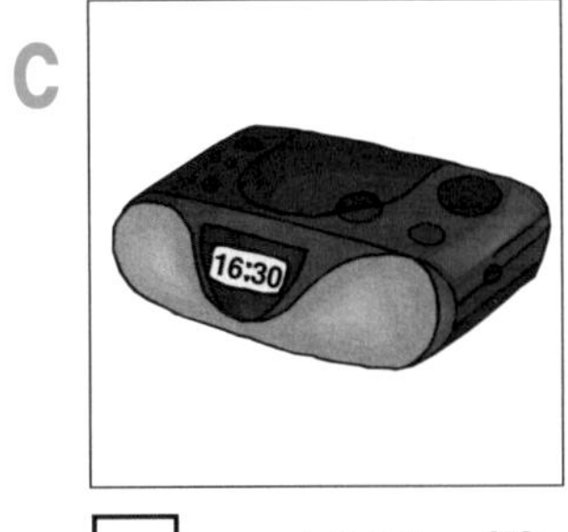

☐ um 16 Uhr 30

Du hörst die erste Nachricht noch einmal. Markiere die Lösung zu Aufgabe 1 und 2.

Jetzt hörst du die zweite Nachricht.
Lies dazu die Aufgaben 3 und 4.

3 Fenja macht Ferien in ... .

a

☐ Deutschland

b
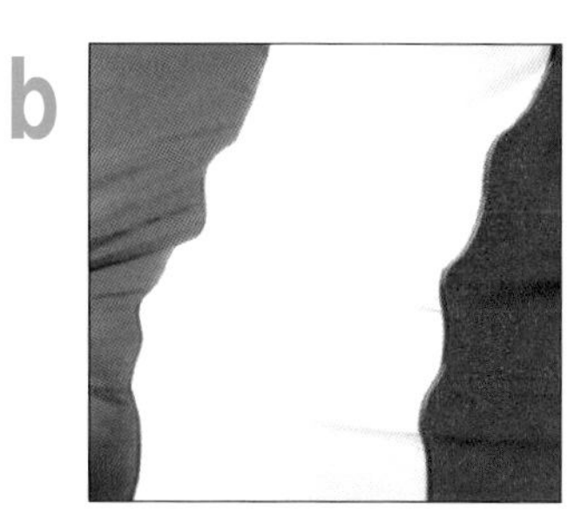
☐ Frankreich

c
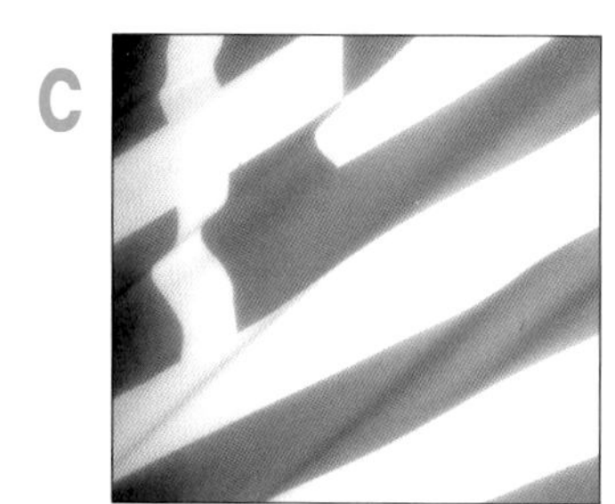
☐ Griechenland

4 Fenja macht die Reise mit dem ... .

a

☐ Schiff

b

☐ Flugzeug

c

☐ Auto

Du hörst die zweite Nachricht noch einmal.
Markiere die Lösung zu Aufgabe 3 und 4.

Hören

Jetzt hörst du die dritte Nachricht.
Lies dazu die Aufgaben 5 und 6.

5 Wo macht Linda Ferien?

a

☐ in der Stadt

b

☐ auf der Insel

c

☐ zu Hause

6 Wo kann Babsi schlafen?

a

☐ bei den Großeltern

b

☐ im Hotel

c
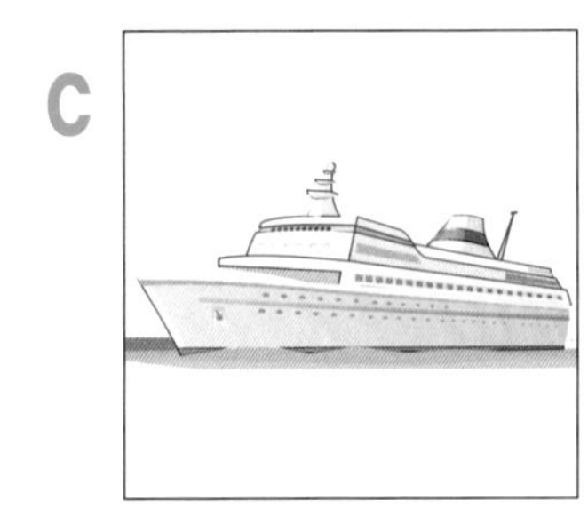
☐ im Schiff

Du hörst die dritte Nachricht noch einmal.
Markiere die Lösung zu Aufgabe 5 und 6.

Teil 2

Du hörst jetzt zwei Gespräche. Du hörst jedes Gespräch zweimal. Zu jedem Gespräch gibt es Aufgaben. Markiere die richtige Lösung mit einem Kreuz: R für richtig, F für falsch.

Lies jetzt das Beispiel mit der Lösung.

Beispiel:

	R	F
Es fährt nur ein Zug nach Berlin.	☐	☒

Lies jetzt die Sätze 7, 8 und 9.

		R	F
7	Der Junge will nach Hamburg fahren.	☐	☐
8	Er nimmt den Zug um 18 Uhr 32.	☐	☐
9	Die Fahrkarte kostet 55 €.	☐	☐

Du hörst jetzt das erste Gespräch.

Du hörst jetzt das Gespräch noch einmal. Markiere jetzt für die Sätze 7, 8 und 9. Markiere R für richtig und F für falsch.

Lies jetzt die Sätze 10, 11 und 12.

		R	F
10	Volker fährt an den Chiemsee.	☐	☐
11	Simon fährt in den Norden.	☐	☐
12	Simon findet Ferien mit der Familie langweilig.	☐	☐

Du hörst jetzt das zweite Gespräch.

Du hörst jetzt das Gespräch noch einmal. Markiere jetzt für die Sätze 10, 11 und 12: richtig oder falsch.

Ende des Prüfungsteils „Hören".

Teil 1

Lies bitte die Anzeigen aus der Zeitung. Zu jedem Text gibt es drei Fragen.

Anzeige 1

Ferien ohne Eltern

Spaß und Sport im
„Ferienclub" in Österreich

Das ganze Jahr
von Januar bis Dezember
für 9-15-Jährige
Wohnen in Mehrbettzimmern

Preis: 215 Euro pro Woche
Info: Tel: +43-1-5 87 30 00

Anzeige 2

JULI & AUGUST-Ferienzeit

Informationen über
Reisen mit Flugzeug,
Bahn oder Bus in ganz Europa
Ferien in Deutschland
Radtouren in Frankreich
Wohnen in Familien oder im Hotel
Deutsch lernen
Schreib uns eine E-Mail.
Wir antworten sofort.

Juferien@gmx.de

Fragen 1-6

Markiere bitte die richtige Antwort mit einem Kreuz.

Beispiel:

Wann?

[X] immer

b im Januar und Dezember

c nur im Winter

Anzeige 1

1

Das ist eine Anzeige für

a Sport

b Ferienwohnungen

c Ferien in Österreich

2

Für wen?

a für Eltern

b für große Familien

c für Kinder und Jugendliche

3

Eine Woche kostet

a zweihundertfünfzig Euro

b zweihundertfünfzehn Euro

c zweihundertfünf Euro

Anzeige 2

4

Das ist eine Anzeige für

a Reisen

b Fahrräder

c Wochenendausflüge

5

Wo?

a nur in Deutschland

b in Amerika

c in Europa

6

Wann?

a im Winter

b im Sommer

c im Herbst

Teil 2

In einer Zeitschrift findest du zwei Texte über Jugendliche in Deutschland.

Beschreibung 1

Hallo, ich bin Mirto und das ist Gabi. Sie ist in meiner Klasse. Wir wohnen in Nürnberg. In diesem Sommer fliegen wir zusammen mit anderen Jugendlichen nach Italien ans Meer. Wir kaufen vor der Reise noch neue Bikinis. Wir wollen jeden Tag an den Strand gehen und schwimmen und am Abend Pizza essen oder in die Disko gehen.

Beschreibung 2

Mein Name ist Sebastian. Ich wohne in München. Ich habe noch drei Wochen Schule und dann sind Weihnachtsferien. Meine Eltern, mein kleiner Bruder und ich fahren jeden Winter nach Österreich.
Da wohnt mein Onkel. Er hat ein großes Haus, aber wir wohnen immer in einem Hotel. Das finde ich toll! Wir wandern oft und fahren Ski.

Sätze 7-12

Was ist richtig und was ist falsch?
Markiere bitte R für richtig und F für falsch.

Beispiel:

	R	F
Mirto und Gabi machen eine Reise nach Italien.	☒	☐

Beschreibung 1

Mirto und Gabi

		R	F
7	sind Schwestern.	☐	☐
8	besuchen Freunde in Italien.	☐	☐
9	wollen in Italien viel schwimmen.	☐	☐

Beschreibung 2

Sebastian

		R	F
10	fliegt manchmal nach Österreich.	☐	☐
11	bleibt in den Weihnachtsferien bei seinem Onkel.	☐	☐
12	wohnt gern im Hotel.	☐	☐

Ende des Prüfungsteils „Lesen“.

Schreiben

1 Lies die E-Mail von Aysche aus der Türkei.

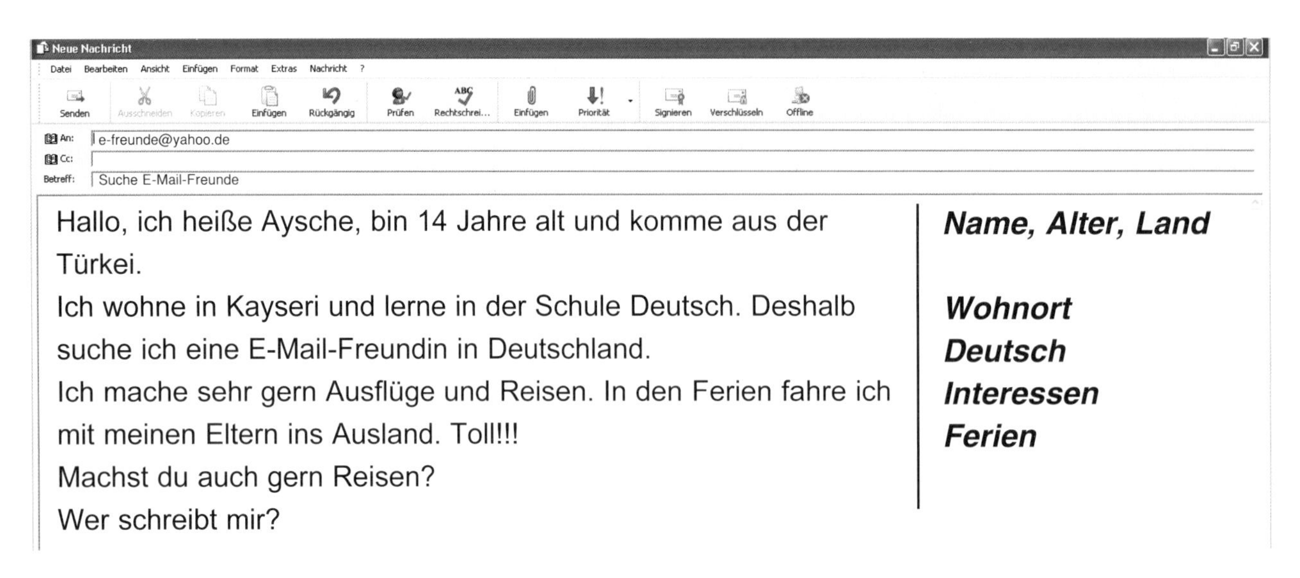

Neue Nachricht

Datei Bearbeiten Ansicht Einfügen Format Extras Nachricht ?

Senden Ausschneiden Kopieren Einfügen Rückgängig Prüfen Rechtschrei... Einfügen Priorität Signieren Verschlüsseln Offline

An: e-freunde@yahoo.de

Cc:

Betreff: Suche E-Mail-Freunde

Hallo, ich heiße Aysche, bin 14 Jahre alt und komme aus der Türkei.
Ich wohne in Kayseri und lerne in der Schule Deutsch. Deshalb suche ich eine E-Mail-Freundin in Deutschland.
Ich mache sehr gern Ausflüge und Reisen. In den Ferien fahre ich mit meinen Eltern ins Ausland. Toll!!!
Machst du auch gern Reisen?
Wer schreibt mir?

Name, Alter, Land

Wohnort
Deutsch
Interessen
Ferien

2 Antworte bitte auf diese Nachricht. Die Ausdrücke unten helfen dir dabei.

Hallo Aysche,	
deine Mail gefällt mir!	
Ich heiße ______________________	**Paula**
______________________	**14**
______________________	**Berlin**
Ich habe ______________________	**Schwester, Gerda, 15**
______________________	
______________________	**Bruder, Frederik, 9**
In der Schule ______________________	**Englisch**
______________________	**Latein**
Im Sommer ______________________	**nach Italien fahren**
Dort ______________________	**jeden Tag an den Strand**
______________________	**gehen**
______________________	**schwimmen**
Schwimmst du auch gern?	
Antworte schnell!	

3 Schreib jetzt bitte die E-Mail.

Neue Nachricht

Datei Bearbeiten Ansicht Einfügen Format Extras Nachricht ?

Senden Ausschneiden Kopieren Einfügen Rückgängig Prüfen Rechtschrei... Einfügen Priorität Signieren Verschlüsseln Offline

An: aysche@yahoo.tr

Cc:

Betreff: Antw: Suche E-Mail-Freunde

____

____

____

Sprechen

Teil 1

Stell dich kurz vor (mindestens 4 Sätze).

Ich heiße ... / Mein Name ist ... .
Ich bin ... Jahre alt
und wohne in ... / komme aus ... .
Ich lerne Deutsch (und ... .)
Meine Hobbys sind ... .

Teil 2

1 **Was passt zusammen? Ordne bitte passende Ausdrücke zu und bilde Sätze. (Es gibt jedes Mal nur eine richtige Lösung.)**

Zug ____________ abfahren
an den Strand ____________
ins Ausland ____________
____________ schwimmen
einen Bikini ____________
einen Fahrplan ____________

brauchen **fahren** **gehen** **kaufen** **im Meer** ~~**Zug**~~

Beispiel: *Der Zug fährt gleich ab.*

____
____
____
____
____
____
____

2 **Bilde W-Fragen und spielt die Dialoge in der Klasse.**

Beispiel:

Wo	gehst du an den Strand?	Im Juli und im August.
Mit wem	kann man einen Fahrplan kaufen?	Mein Bruder.
Wer	fährt der Zug ab?	Mit meinen Eltern.
Wann	fährt ins Ausland?	Gleis 2.
Wo	kann man im Meer schwimmen?	Am Kiosk.

3 **Bilde JA-NEIN-Fragen und spielt die Dialoge in der Klasse.**

Beispiel:

Ja, in 5 Minuten.

Fährt der Zug jetzt ab?

Fährt	dieses Jahr ins Ausland	ab	Jeden Tag.
Gehst du	einen Fahrplan		Ich weiß noch nicht.
Fährst du	der Zug jetzt	?	Leider nicht. Ich muss einen kaufen.
Schwimmst du	einen Bikini		Ja, in 5 Minuten.
Nimmst du	lieber im Meer oder im Schwimmbad	mit	Na klar!
Hast du	oft an den Strand		Ich finde das Meer besser.

Sprechen

1
Ausland

2
Fahrplan

3
Bikini

4
Strand

5
abfahren

6
schwimmen

Sprechen

Teil 3

1 Was bedeuten die Piktogramme? Schreib bitte das Wort darunter.

a 

____

b 

____

c 

____

d 

____

e 

____

f 

____

2 Ordne passende Verben zu.
(Es gibt jedes Mal nur eine richtige Lösung.)

zum Bahnhof *fahren*
mit dem Ball ______________________
wenig Gepäck ______________________
nach Spanien ______________________
die Altstadt ______________________
im See ______________________

besuchen | ~~**fahren**~~ | **fliegen** | **mitnehmen** | **schwimmen** | **spielen**

3 Nimm eine Karte.
Bei „!“ mach eine Aufforderung,
bei „?“ mach eine Frage.

!!!

Bitte fahr *schnell zum Bahnhof!* *Ja, in Ordnung.*

Fahr	wenig Gepäck		Das ist eine gute Idee!
Nimm	doch die Altstadt		Na klar!
Besuch	schnell zum Bahnhof		Ja, in Ordnung.

Sprechen

???

Wohin	*fliegst du?*	*Nach Spanien.*
Wohin Wer Wann	hat einen Ball? fahren wir zum See? fliegst du?	Am Nachmittag. Nach Spanien. Ich habe einen.

Fliegst	*du gern?*	*Nein, ich habe Angst.*
Fliegst du Hast du Ist	einen Ball? der See groß? gern?	Nein, er ist klein. Nein, ich habe Angst. Ja, hier ist er.